(PETITE ENCYCLOPÉDIE)

LAROUSSE

Direction éditoriale
Jules Chancel

**Conception graphique
et couverture**
Jean-Yves Grall
et Marie-Lise Cuq

**Mise en page et
suivi éditorial**
ATE / Philippe Faverjon

Illustrations
Cartographie
Légendes Cartographie
Recherche iconographique
Briggett Noiseux

Relecture et correction
Service de lecture-
correction
Larousse-Bordas

Fabrication
Martine Toudert

Photogravure
Dupont Photogravure

© LAROUSSE / VUEF 2003
ISBN : 2-03-575124-1
Dépôt légal :
septembre 2003

Distributeur exclusif
au Canada :
Messageries ADP,
1751 Richardson,
Montréal (Québec)

Yves Lacoste

L'eau dans le monde

les batailles

pour la vie

PETITE ENCYCLOPÉDIE

LAROUSSE

L'Eau

Dans les prochaines décennies, les besoins en eau vont aller croissant, surtout dans les pays les moins équipés. Une véritable révolution hydraulique doit être effectuée à l'échelle mondiale."

Yves Lacoste

Avant-propos

C e livre débute par un chapitre intitulé «Les batailles de l'eau». Il y est d'abord question des luttes que les hommes et les femmes mènent pour avoir de l'eau, mais aussi contre l'eau, dans des pays où celle-ci représente parfois un danger redoutable. Les batailles de l'eau se déroulent également au-dessus des hommes, dans l'atmosphère: là s'opposent des vents puissants et réguliers qui se heurtent sur de véritables fronts. N'oublions non plus cette autre lutte qui met en jeu de grandes masses d'air, quand l'air froid et l'air chaud s'opposent sur ce que les climatologues appellent également des fronts. Dans cette bataille de l'eau, des pays comme l'Inde, où vivent des centaines de millions d'hommes et de femmes, subissent de très longs mois de sécheresse. L'eau se fait rare, et ceux qui en ont un peu la vendent très cher. Comme dans une bataille, une grande force climatique vole heureusement à leur secours, c'est la mousson. Cette grande masse d'air, qui vient des océans, apporte la pluie en quantité si considérable que l'inondation menace souvent les vies et les cultures. Bref, parler des batailles de l'eau n'est pas un vain mot. Elles se déroulent depuis des millénaires. Toutefois la donne a changé, car le nombre des hommes et des femmes, qui augmentait autrefois très lentement, s'est accru depuis le XXe siècle: environ un milliard d'êtres humains en 1900, 6 milliards aujourd'hui, et sans doute 8 milliards dans 20 ans. Les problèmes de l'eau sont transformés, d'autant plus que les hommes d'aujourd'hui ne vivent plus comme autrefois dans des villages, à côté de l'eau des ruisseaux ou des rivières, mais dans des villes, c'est-à-dire de plus en plus loin des ressources en eau indispensables.

Le barrage Atatürk. La Turquie a construit dans les vallées du Taurus, toute une série de barrages dans le cadre du Grand Projet anatolien (GAP).

B ien que l'eau soit largement répandue sur la planète, sa distribution est fortement inégale. Élément primordial de la vie, elle nécessite bien souvent que les hommes livrent un véritable combat pour y accéder. Une lutte qu'il leur faut mener contre la nature, parfois au prix de formidables travaux, pour trouver et conserver le précieux liquide. Mais aussi de non moins considérables efforts pour se protéger de ses dangers. Les problèmes de l'eau dans le monde dépendent donc en grande partie de données géographiques. Également enjeu stratégique, elle oppose également les États dans de véritables guerres de l'eau.

Flottage du bois au Nigeria

Les batailles
de l'eau

Les batailles de l'eau

Pourquoi est-il question de batailles dès le début de ce livre qui traite des problèmes de l'eau dans le monde? D'abord parce que, dans un très grand nombre de pays, même dans des contrées assez verdoyantes qui ne semblent pas touchées par la sécheresse, l'eau est de plus en plus considérée aujourd'hui comme un bien rare.

Des luttes pour l'eau

Les hommes doivent faire de très grands efforts afin de trouver et de conserver l'eau. Ils doivent en quelque sorte se battre contre la nature pour capter l'eau dans les profondeurs du sol, pour construire des barrages au travers des vallées afin de la stocker, pour creuser des canaux et détourner les cours d'eau vers les villes où l'on en a le plus besoin, de façon à éviter qu'une eau de plus en plus précieuse se perde inutilement dans la mer, où le sel la rend inutilisable. Mais les batailles de l'eau ne sont pas seulement menées contre la nature. Il s'agit aussi de luttes entre les États qui cherchent à étendre

Pakistan, novembre 2001. Distribution d'eau potable dans un camp de réfugiés lors du conflit en Afghanistan.

leur territoire pour atteindre le cours d'un grand fleuve et le détourner à leur profit. Un État comme la Turquie, par exemple, qui possède sur son territoire une grande chaîne de montagnes, le Taurus, y a construit des barrages pour que les eaux de fonte des neiges ne s'écoulent pas trop vite dans la plaine au profit d'États voisins. Ceux-ci protestent, car ils craignent d'être privés de cette eau.

Dans certains grands pays, comme les États-Unis, l'eau des montagnes ou des régions faiblement peuplées suscite les convoitises des grandes villes, qui sont en concurrence pour cette ressource rare. Elles font construire de grosses et très longues canalisations pour atteindre les quantités d'eau dont elles ont besoin. Les villes sont contraintes de passer des accords de dédommagement avec les régions dont une partie des eaux est détournée.

Des luttes contre l'eau

Des batailles pour l'approvisionnement en eau ont donc lieu, mais il existe aussi des batailles contre l'eau. Elles sont menées chaque année par des millions d'hommes. Ainsi, dans nombre de pays, l'eau à certaines saisons devient un très grand danger. Sous l'effet des très grandes pluies de la mousson, les fleuves connaissent des crues terribles qui balaient tout sur leur passage, arrachant les ponts, renversant les maisons et provoquant la mort de milliers de personnes. En Chine, en Inde, en Asie du Sud-Est, les cours d'eau qui descendent de hautes montagnes soumises à l'érosion drainent pour la plupart tellement d'alluvions que celles-ci encombrent et exhaussent les lits des fleuves. Ils coulent donc sur une sorte de remblai au-dessus de la plaine et ils s'y déverseraient en noyant les habitants si de puissantes digues en terre n'avaient été édifiées sur chaque rive. Mais il arrive que ces digues se rompent sous la pression de la crue. C'est alors une véritable bataille contre l'eau qu'il faut mener, en essayant de boucher les brèches des digues avec des sacs de terre pour sauver les villages et les villes de la submersion.

Inondation au Bangladesh. Régulièrement, le village de Kishoreganj se transforme en île. Le commerce avec les villages voisins se fait alors par barque.

Depuis des siècles les hommes luttent pour posséder de l'eau ou pour se défendre des inondations. Mais, depuis quelques années, les problèmes liés à l'eau ont pris une gravité nouvelle. On se demande si de très nombreux pays ne vont pas bientôt se trouver confrontés à une grave pénurie d'eau. Toutefois, dans des pays, très peuplés, on craint que les inondations, contre lesquelles on lutte depuis des siècles, prennent une ampleur véritablement catastrophique.

Parmi les questions que l'on se pose quant à l'avenir des diverses sociétés, et même sur celui de l'humanité, c'est sans doute la question de l'eau qui rassemble aujourd'hui le plus d'inquiétudes. Quelles sont les raisons de ces nouvelles appréhensions ?

Hydrologie et hydraulique

La construction des barrages et des digues, comme le creusement des canaux et l'établissement des canalisations, relève d'une science particulière et d'un ensemble de techniques que l'on appelle «l'hydraulique». Ce mot ressemble à hydrologie, la science de l'eau, qu'il s'agisse de la mer ou des cours d'eau (en grec, «hydro» signifie l'eau et «logie» la science), et à hydrographie (science qui étudie le tracé des cours d'eau ou la carte des rivages, ou du fond des océans). Mais hydraulique s'écrit avec «au» et non avec un «o». Ce détail d'orthographe n'est pas à négliger.

On peut diviser le mot hydraulique en deux parties : «hydr» (du grec hudôr, l'eau), mais la seconde partie «aulique» vient d'un mot grec «aulos» qui signifie «flûte», «tuyau», c'est-à-dire les canalisations. Le mot «canalisation», qui vient du latin, signifie d'ailleurs le roseau pour faire des flûtes et des tuyaux.

La pression démographique

La première est la formidable augmentation des populations dans la seconde moitié du XXe siècle. Alors que, dans les années 1950, on comptait environ deux milliards d'hommes et de femmes, ils sont aujourd'hui six milliards et ils seront sans doute huit milliards vers 2020. De surcroît, dans tous les pays, la population se concentre de plus en plus dans les villes. Or les problèmes de l'eau s'y posent d'une tout autre façon qu'à la campagne. Alors que chaque village ou chaque petite ville peut trouver dans ses environs immédiats l'eau qui lui est nécessaire, en revanche ce n'est guère possible pour les grandes villes, même si elles sont traversées par un fleuve, car ses eaux sont souvent polluées. Les villes doivent donc capter à grande distance l'eau qui leur est nécessaire.

De plus, la construction de grands immeubles à étages, qui caractérise l'architecture urbaine, provoque l'accumulation de centaines de milliers de personnes,

Cours d'eau en Chine.
La pollution des eaux dans de nombreuses régions de Chine, ici par des ordures ménagères, la rend impropre à la consommation.

et même de millions de personnes, sur des espaces relativement restreints (parfois plus de 100 000 hab./km^2).

Cela pose non seulement le problème des adductions d'eau, mais aussi celui de l'évacuation des excréments. Autrefois, quand les villes n'étaient pas trop grandes, les immondices et les ordures étaient jetées dans les cours d'eau, dont les eaux étaient souvent pestilentielles. Aujourd'hui, les villes doivent en principe posséder des égouts et des stations d'épuration des eaux usées. Mais, dans les pays pauvres, c'est-à-dire dans la plupart des pays, ce sont seulement les quartiers aisés qui en ont été équipés. Les égouts ne peuvent fonctionner qu'avec beaucoup d'eau, faute de quoi ils se bouchent irrémédiablement. Dans la majorité des villes des pays pauvres, faute de réseaux d'adduction suffisants, la plupart des logements ne disposent pas d'eau, et leurs habitants doivent, chaque jour, trouver de quoi payer des vendeurs d'eau pour obtenir quelques litres d'eau absolument indispensables. On a pu calculer que dans nombre de grandes villes les gens des quartiers défavorisés payaient en vérité le litre d'eau quatre ou cinq fois plus cher que les habitants des quartiers disposant d'un réseau d'eau « courante » (avec compteur individuel). De surcroît, dans les quartiers sans adduction d'eau, il n'y a pas d'égouts, et l'accumulation des excréments dans des latrines ou des puisards entraîne de graves conséquences sanitaires, mais aussi culturelles.

Une affaire de pluies...

Pour réfléchir sérieusement aux problèmes de l'eau, aussi bien à la menace d'extension de la sécheresse dans certaines parties du monde qu'aux risques d'inondations de plus en plus graves dans d'autres parties de la planète, il faut d'abord comprendre comment se répartissent les pluies à la surface du globe. Si l'on observe la carte mondiale de la pluviosité, on peut constater que le désert le plus vaste du globe, le Sahara, et son prolongement en Arabie à l'est de la mer Rouge, se situe aux mêmes latitudes que la partie du continent asiatique qui reçoit de très fortes précipitations.

Mauritanie, 2000. La question de l'eau est une préoccupation quotidienne dans une grande partie de l'Afrique.

Les grands fleuves himalayens

L'Indus

Long de 2 735 km, l'Indus prend sa source sur les hauts plateaux du Tibet. À l'époque de la colonisation britannique, puis après l'indépendance, des travaux d'aménagement du fleuve pour l'irrigation et la production d'énergie hydroélectrique grâce à la construction de barrages ont été engagés.

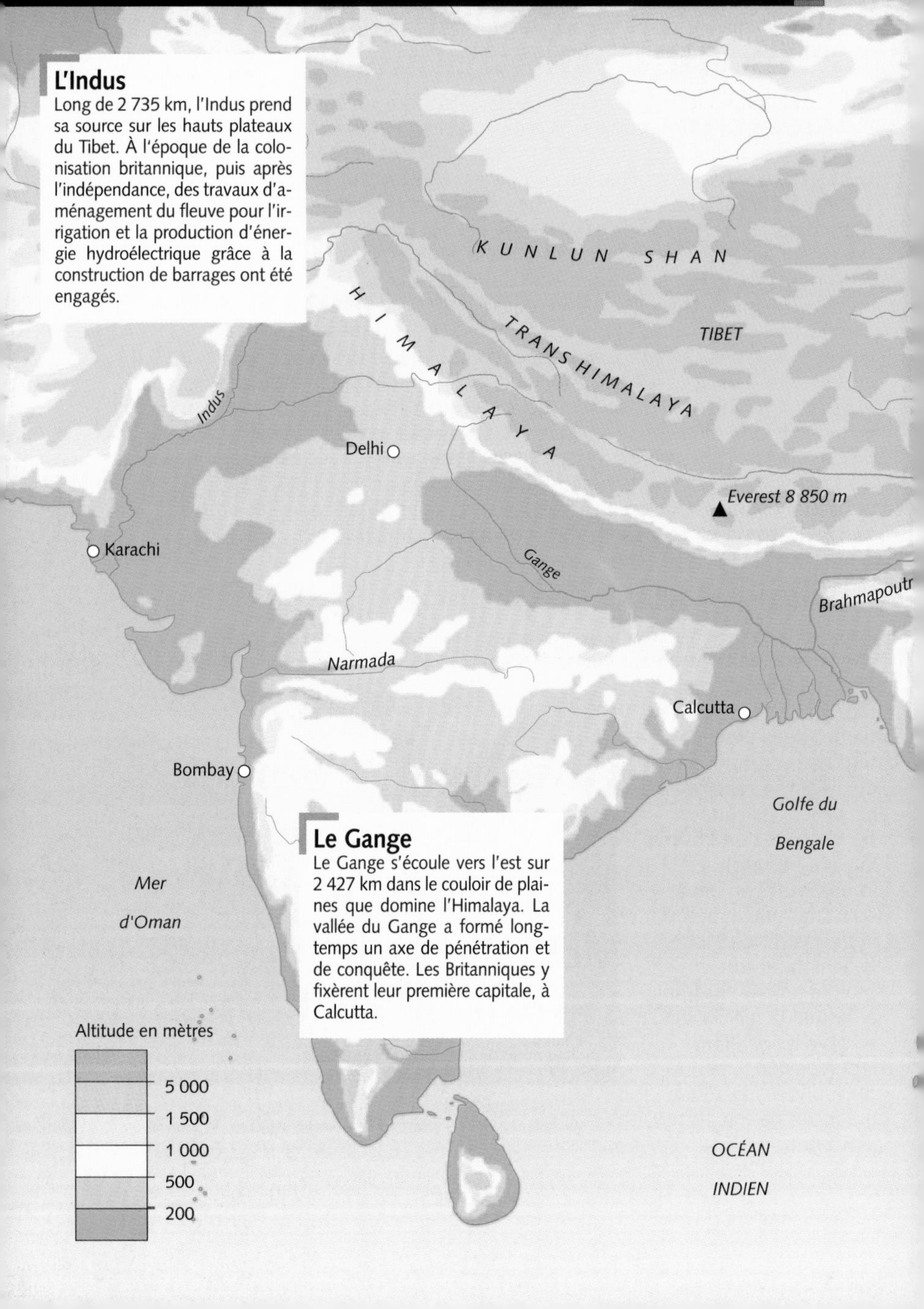

KUNLUN SHAN

TRANSHIMALAYA

HIMALAYA

TIBET

Indus

Delhi O

▲ Everest 8 850 m

O Karachi

Gange

Brahmapoutr

Narmada

Calcutta O

Bombay O

Golfe du

Bengale

Mer

d'Oman

Le Gange

Le Gange s'écoule vers l'est sur 2 427 km dans le couloir de plaines que domine l'Himalaya. La vallée du Gange a formé longtemps un axe de pénétration et de conquête. Les Britanniques y fixèrent leur première capitale, à Calcutta.

Altitude en mètres

5 000

1 500

1 000

500

200

OCÉAN

INDIEN

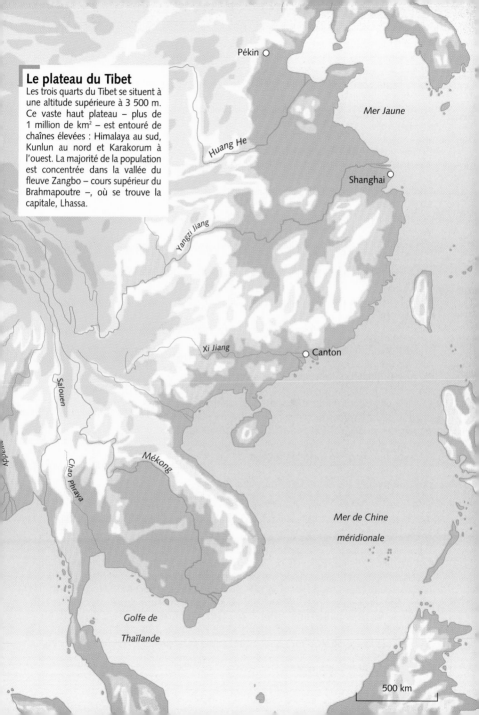

Le plateau du Tibet

Les trois quarts du Tibet se situent à une altitude supérieure à 3 500 m. Ce vaste haut plateau – plus de 1 million de km² – est entouré de chaînes élevées : Himalaya au sud, Kunlun au nord et Karakorum à l'ouest. La majorité de la population est concentrée dans la vallée du fleuve Zangbo – cours supérieur du Brahmapoutre –, où se trouve la capitale, Lhassa.

Pékin

Mer Jaune

Huang He

Shanghai

Yangzi Jiang

Xi Jiang

Canton

Salouen

Chao Phraya

Mékong

Mer de Chine méridionale

Golfe de Thaïlande

500 km

Le Sahara s'étend grosso modo entre le 30ᵉ parallèle au Nord et le 15ᵉ parallèle au sud. Or, en Asie, Shanghai, qui est bien arrosé, se trouve sur ce 30ᵉ parallèle; et le 15ᵉ parallèle passe par le sud de l'Inde et la Thaïlande, qui ont une abondante végétation, preuve d'une importante pluviosité. Sous ces mêmes latitudes, en Amérique centrale et aux Antilles, il n'y a pas de désert, mais des îles et des pays qui reçoivent des pluies relativement abondantes.

Contrairement à ce que disaient les anciens livres de géographie, il n'y a donc pas une zone aride qui ferait le tour de la Terre (zone vient du mot grec «zônê», qui signifie «ceinture»). Il faut essayer de comprendre ce contraste entre les étendues désertiques sahariennes et, en Asie, aux mêmes latitudes, les contrées où au contraire la pluviosité est abondante, au point qu'on redoute la violence des inondations dans les vallées. Mais il faut tout d'abord comprendre pourquoi il y a à la surface du globe une étendue désertique aussi considérable que le Sahara : 2 500 km du nord au sud, plus de 6 000 km d'ouest en est, et davantage encore si l'on tient compte de l'extension du désert en Arabie et au Moyen-Orient. Les causes de cette aridité persistante sur une aussi grande portion de la surface du globe sont à chercher dans les caractéristiques fondamentales de notre planète.

... et de vents

La Terre reçoit toute son énergie du Soleil, et, pour parler plus simplement, elle est réchauffée par les rayons solaires. Mais, selon les zones, ce réchauffement est très inégal : il fait froid au pôle Nord et au pôle Sud, en revanche il fait chaud au niveau de l'équateur. Un phénomène évidemment bien connu. Mais les climatologues et les physiciens qui étudient l'atmosphère ont fait des calculs très savants pour déterminer exactement la quantité d'énergie solaire que reçoit chaque kilomètre carré, selon qu'il se trouve dans les régions polaires ou équatoriales. Ces calculs permettent d'affirmer qu'il devrait faire beaucoup plus froid aux pôles et, à l'inverse, beaucoup plus chaud aux abords de l'Équateur. Cela indique que, de diverses façons, de l'air chaud des régions tropicales vient réchauffer les régions polaires, et qu'en échange de l'air froid va, globalement, des pôles vers l'équateur. Ces échanges thermiques s'effectuent par de grands courants atmosphériques à plus ou moins haute altitude.

Au premier abord, on ne voit pas en quoi la répartition des températures et la circulation des vents ont un rapport avec l'extension des déserts et celle des régions humides. Le rapport entre ces différentes catégories de phénomènes se fait par la circulation de certains vents réguliers à la surface du globe. Les relations entre les deux pôles et la zone équatoriale s'effectuent par des vents réguliers qui logiquement soufflent du nord vers l'équateur dans l'hémisphère Nord, et du sud vers l'équateur dans l'hémisphère Sud. Mais ces vents sont déviés vers l'ouest du fait de la rotation de la Terre, celle-ci tournant de l'ouest vers l'est. En effet, au niveau de l'équateur une masse d'air tourne en accomplissant 40 000 km en 24 h, soit à une vitesse de 465 m/s, alors que, sur le 60ᵉ parallèle (qui passe par Oslo et

Inde, septembre 1998. Bénéfique pour l'agriculture, la mousson provoque des inondations aux effets souvent catastrophiques.

qui n'a environ que 22 000 km), la vitesse de rotation de l'air n'est que de 273 m/s. Aussi les vents qui soufflent vers l'équateur prennent-ils du retard par rapport à la rotation de l'air équatorial : c'est ce qui explique qu'ils soient détournés vers l'ouest. Ces vents réguliers, bien connus des marins qui ont fait les premières traversées de l'Atlantique, ont été dénommés «vents alizés» (en portugais «ventos lissios», les vents lisses, réguliers). Ces vents qui soufflent dans les basses couches de l'atmosphère sont ceux qui provoquent les grandes pluies de la zone équatoriale. En effet, dans cette zone qui fait le tour du globe, les alizés de l'hémisphère Nord (orientés NE-SO) se heurtent aux alizés de l'hémisphère Sud (orientés SE-NO) : la rencontre de ces deux grands mouvements de l'atmosphère s'appelle le «front des alizés» ou «front intertropical», puisqu'il se situe entre les deux tropiques. Du fait de leur rencontre, les alizés sont obligés de s'élever verticalement en de grands tourbillons, ce qui produit des pluies extrêmement abondantes. En effet, s'ils passés sur des océans où se produit une forte évaporation, les alizés contiennent beaucoup de vapeur d'eau qui se condense sous l'effet du froid qui règne en altitude. Que devient l'air des alizés une fois poussé dans la haute atmosphère ? Il forme ce que les climatologues nomment « les contre-alizés », qui soufflent en altitude en sens inverse des alizés, c'est-à-dire SO-NE dans l'hémisphère Nord. Au niveau du tropique, ils soufflent vers le sol un air chaud et très sec, qui est la cause de l'aridité du Sahara. Cela est la conséquence de ce qui s'est passé au-dessus de l'équateur à plusieurs centaines de kilomètres des limites du désert. En effet, la condensation de la vapeur d'eau en pluie est un phénomène qui dégage de la chaleur. Aussi l'air qui forme en haute altitude le contre-alizé a-t-il été réchauffé, et c'est donc un air sec (qui a perdu son humidité) et surtout très chaud qui redescend vers le sol, où il provoque une forte évaporation. La sécheresse des déserts tropicaux est donc pour une grande part la conséquence des fortes pluies qui tombent sur la zone équatoriale. La relation entre la zone équatoriale et le désert se fait par le circuit que forment les alizés de basse altitude et les contre-alizés de haute altitude.

Le phénomène de la mousson

C'est surtout en Afrique que ce schéma de la circulation atmosphérique explique pour une grande part la répartition des régions humides et des régions sèches. Mais les problèmes sont plus compliqués en Asie et en Amérique.
Comment se fait-il qu'au niveau du tropique les étendues désertiques qui forment le Sahara et les déserts du Moyen-Orient fassent place vers l'est, en Asie à partir de l'Inde, à des régions comme l'Indochine et la Chine du Sud, qui, en été, reçoivent de très fortes pluies ? C'est la conséquence d'un grand phénomène climatique que l'on appelle « la mousson », terme qui en arabe signifie « saison ». Ce sont en effet des navigateurs arabes qui allaient des côtes d'Arabie à celles de l'Inde qui se sont rendu compte que, selon les saisons, les vents sur l'océan Indien soufflent en sens contraire. En effet, durant la plus grande partie de l'année, les vents qui sont en fait les alizés soufflent du NE vers le SO, c'est-à-dire du continent asiatique vers l'océan Indien. Il fait alors sec sur l'Inde, car ces alizés viennent des régions sèches d'Asie centrale. Au contraire, durant l'été, les vents soufflent en sens inverse, globalement du sud vers le nord. Ils viennent de l'océan Indien et du Pacifique, où ils se sont chargés d'humidité, apportant sur l'Inde, l'Indochine et la Chine du Sud des pluies considérables. Ces vents de la mousson d'été sont en vérité les alizés de l'hémisphère Sud qui sont attirés dans l'hémisphère Nord : orientés SE-NO dans l'hémisphère Sud, ils sont déviés vers le nord-est après avoir franchi l'équateur.
Sans ce grand phénomène géographique qu'est la mousson, l'Inde serait comme le Sahara une contrée aride.

Du point de vue climatique, le continent américain se caractérise lui aussi par l'absence d'un grand désert qui serait le symétrique du Sahara de l'autre côté de l'Atlantique. L'explication en est simple, car les Antilles, le Mexique et l'Amérique centrale se trouvent proches du tropique, au niveau des étendues sahariennes.

Gora, Inde, 1983. Sans le phénomène de la mousson, l'Inde serait une contrée aride à l'instar du Sahara.

En Amérique, celles-ci correspondent au golfe du Mexique et à la mer des Antilles, qui sont eux aussi soumis au souffle des alizés. La rencontre des alizés de l'hémisphère Nord et ceux de l'hémisphère Sud se fait sur l'Amazonie, qui connaît de ce fait des précipitations très abondantes.

Les batailles de l'eau 19

Oasis en Mauritanie. Appartenant au Sahara occidental, la Mauritanie est un pays désertique : l'écoulement des eaux y est exceptionnel et la végétation concentrée dans quelques oasis.

Il faut aussi tenir compte du fait que des contrées, où le total annuel des pluies est assez considérable, subissent cependant durant de longs mois une grande sécheresse. Ce qui pose de graves problèmes si l'eau tombée en abondance à d'autres saisons n'est pas stockée en quantité suffisante derrière des barrages. C'est notamment le cas dans les pays méditerranéens, qui ne reçoivent presque pas de pluie durant de longs mois d'été, alors que les températures sont très fortes, ce qui provoque une très importante évaporation de l'humidité contenue dans le sol. En revanche, durant les autres saisons, les pays méditerranéens reçoivent des pluies qui peuvent même être très brutales, ce qui provoque une forte érosion des sols. Ces contrastes s'expliquent par le fait que les pays méditerranéens sont situés au nord du Sahara et des déserts du Moyen-Orient.

20   **[L'eau dans le monde]**

En effet, l'atmosphère dans ses basses couches à la surface du globe est formée de différentes masses d'air qui se mélangent peu les unes aux autres. Selon les saisons, ces masses d'air qui couvrent chacune de vastes étendues se déplacent sensiblement les unes par rapport aux autres. En été, la masse d'air saharienne, formée d'air très chaud et très sec (c'est l'air fourni par les contre-alizés), s'étend vers le nord, sur la mer Méditerranée, et même sur les pays européens. Au contraire, au sud du Sahara, l'été est la saison des grandes pluies, car la masse d'air équatoriale chaude et surtout très humide (c'est l'air fourni par les alizés) remonte, elle aussi, vers le nord. À la fin de l'été, ces masses d'air redescendent vers le sud. La masse d'air saharienne abandonne la Méditerranée, qui reçoit alors, comme l'ensemble de l'Europe, les pluies apportées par les vents d'ouest, lesquels se sont chargés d'humidité sur l'Atlantique.

Permanence du facteur géographique

Les problèmes de l'eau dans le monde, qu'il s'agisse de graves pénuries ou au contraire d'inondations catastrophiques, dépendent donc pour une très grande part des données géographiques. Durant des siècles, les quantités d'eau tombées dans la plupart des pays – à l'exception des régions arides – ont été plus ou moins suffisantes pour couvrir les besoins agricoles de populations beaucoup moins nombreuses qu'aujourd'hui. Il y avait cependant des périodes de sécheresse catastrophiques qui réduisaient presque à rien les récoltes. Les déserts étaient alors considérés comme des contrées tout à fait inhospitalières : ils ne comptaient pas d'habitants permanents, sauf dans les oasis alimentées en eau par des puits ou par des fleuves descendus des montagnes. Les pasteurs et leurs troupeaux se déplaçaient surtout en bordure du désert, dans les steppes plus ou moins arides.

La population mondiale a énormément augmenté: elle est aujourd'hui douze fois plus importante qu'il y a 150 ans : des villes qui n'étaient que de petites bourgades autrefois comptent maintenant des millions d'habitants, et elles ne cessent de croître très rapidement. Les problèmes de l'eau sont devenus d'autant plus graves que, dans les prochaines décennies, les conditions climatiques risquent d'être notablement modifiées sur une grande partie de la surface du globe du fait de l'augmentation de la température moyenne de l'atmosphère. C'est la conséquence de ce que les écologistes ont appelé «l'effet de serre», provoqué par l'augmentation de la teneur en gaz carbonique.

À l'aune de la pression démographique, qui a fait sentir ses effets dès le milieu du XXe siècle, l'eau a acquis partout dans le monde une valeur, dont le cours est indexé sur la pénurie annoncée. Aux effets induits par le facteur démographique, qui vaut à l'eau le statut de bien précieux, la perspective de changements climatiques risque de rebattre les cartes d'une distribution que l'on a dit inégale. Une menace propre à compliquer le déjà difficile développement des pays du tiers-monde, notamment ceux qui verront une extension de l'aridité dans des zones fortement peuplées.

Lac Nasser, Égypte

L'eau et les grands changements au XXᵉ siècle

L'eau et les grands changements au XXᵉ siècle

> Parmi les questions que l'on se pose quant à l'avenir des diverses sociétés et même sur celui de l'humanité tout entière,
>
> c'est sans doute la question de l'eau qui rassemble aujourd'hui les inquiétudes les plus variées.

Explosion démographique et changements climatiques

La crainte d'une grande pénurie d'eau a pris le relais de l'inquiétude qu'a suscité «l'explosion démographique». On sait que l'explosion démographique a provoqué le triplement du nombre total des êtres humains depuis le milieu du XXᵉ siècle. Ils sont plus de six milliards aujourd'hui, et ils seront sans doute huit milliards dans vingt-cinq ans. Ce n'est pas seulement ce très grand accroissement de l'effectif total de l'humanité qui doit susciter l'inquiétude quant aux ressources en eau

Rizières à Haiphong. Les rizières protègent les populations de certaines maladies tropicales, comme le paludisme : le sol labouré ne constitue pas un milieu favorable pour le développement des larves de moustiques.

de la planète, mais aussi la perspective de graves changements climatiques. L'augmentation dans l'atmosphère des quantités de gaz carbonique dégagé par la combustion depuis des décennies d'énormes quantités de charbon, de pétrole et de gaz va entraîner une sensible augmentation des températures moyennes. C'est ce que l'on appelle « l'effet de serre ». Dans les décennies à venir, il en résultera probablement d'importants changements climatiques. L'hypothèse qui suscite le plus d'inquiétude est l'extension de l'aridité à des zones qui, actuellement, sont fortement peuplées.

Ce serait le cas, notamment, d'une grande partie de l'Europe occidentale, en raison de la remontée vers le nord de la masse d'air saharienne. Mais, dans d'autres parties du monde, le péril risque d'être inverse ; et il n'en est pas moins grand. En effet, l'accroissement des températures de l'atmosphère entraîne une plus grande évaporation de l'eau des océans : ce sont des pluies diluviennes qui, apportées par la mousson, peuvent submerger les vallées surpeuplées de l'Asie du Sud-Est.

Le Viêt Nam et ses vallées cultivées traversées par des fleuves qui prennent leur source dans d'imposants massifs montagneux offre un exemple type de société hydraulique

On peut évidemment déplorer que, par un tragique coup du sort en quelque sorte, ces graves changements climatiques viennent prochainement interférer avec une explosion démographique qui n'est pas encore terminée, loin s'en faut.

Certes, l'effectif de l'humanité va d'ici vingt-cinq ans sans doute se stabiliser à huit milliards, car ce que les démographes appellent « la transition démographique » est en bonne voie dans la plupart des pays du tiers-monde, où les taux de natalité, qui étaient restés très élevés, se rapprochent maintenant

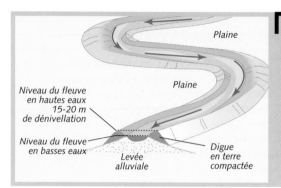

Des cours d'eau en travail

Le ruissellement provoqué en amont par les pluies de mousson entraîne vers les cours d'eau de volumineuses quantités de boue, de sable et de cailloux. Ces alluvions sont si abondantes que, dans la plaine où la pente est faible, le fleuve a du mal à les transporter : ces alluvions tendent à s'accumuler au fond du lit fluvial. Par conséquent, celui-ci s'exhausse peu à peu et le cours d'eau coule parfois plusieurs mètres au-dessus du niveau de la plaine.

progressivement des taux de mortalité qui avaient été fortement réduits depuis quarante ans par la mise en œuvre des techniques médicales modernes. Mais, dans les deux ou trois décennies à venir, ce sont encore deux milliards d'hommes qui vont s'ajouter aux cinq milliards qui forment la population du tiers-monde, alors que, dans ces pays d'Afrique, d'Asie et d'Amérique latine, les équipements sont déjà très insuffisants et que les conditions climatiques vont devenir sans doute encore plus défavorables.

Révolution industrielle et progrès sanitaires

En fait, cette interférence si dangereuse de l'explosion démographique et des prochains changements climatiques dus à l'effet de serre n'est pas la conséquence d'un hasard tragique. Ces deux phénomènes planétaires sont le produit, plus ou moins décalé dans le temps, de ce changement capital dans l'histoire de l'humanité que l'on a appelé « la révolution industrielle ». Elle a débuté d'abord doucement en Angleterre au milieu du XVIIIe siècle et s'est propagée en Europe occidentale, puis aux États-Unis et au Japon, avant d'entraîner des changements considérables dans l'ensemble du monde. La révolution industrielle ne s'est pas seulement traduite par le développement des industries et des moyens de transport, mais aussi depuis la fin du XIXe siècle par d'innombrables inventions scientifiques, et notamment par de grands progrès médicaux.

Ce sont eux, pour une part, qui ont rendu possible une réduction progressive de la mortalité et l'arrêt des grandes épidémies. Comme la natalité est restée forte durant plusieurs décennies, s'est amorcée d'abord en Europe une croissance démographique que l'humanité n'avait jamais connue jusqu'alors.

Transition démographique

La transition démographique traduit le passage d'une situation caractérisée par des taux de mortalité et de natalité élevés à une situation caractérisée par des taux plus modérés. Ce phénomène débute par une diminution des taux de mortalité qui entraîne peu à peu une baisse des taux de natalité. Dans les pays développés, la transition démographique s'est opérée entre la fin du XVIIIe siècle et le début du XIXe siècle. Dans les pays en développement, ce processus a débuté au milieu du XXe siècle.

L'explosion démographique qu'a connue la plus grande partie de l'humanité à partir du milieu du xxᵉ siècle est somme toute la conséquence de l'accélération des transports aériens et des risques que se propagent des épidémies dans les pays riches. Cela a contraint ces derniers à mettre en œuvre, au plan mondial dans les pays les plus pauvres, des moyens médicaux modernes et efficaces. La rapide baisse de mortalité qui en est résultée a fait que les pays du tiers-monde, où la natalité restait très forte, ont connu durant un demi-siècle une croissance extraordinaire.

Croissance démographique et développement industriel

La croissance démographique s'est maintenant ralentie, mais le développement industriel qui est beaucoup plus puissant, et qui se propage désormais dans la plupart des pays, entraîne le dégagement de gaz carbonique qui s'accumule dans l'atmosphère en quantités de plus en plus considérables. D'où la très récente apparition (il y a seulement quelques années) des premiers signes de « l'effet de serre ». Ses conséquences vont sans doute s'amplifier, malgré les mesures prises dans la plupart des pays déjà fortement industrialisés pour limiter les consommations d'énergie. Mais il ne paraît pas possible de bloquer le rapide développement industriel de grands États comme l'Inde et la Chine, qui rejettent d'ores et déjà de très grosses quantités de gaz carbonique dans l'atmosphère.

État de Tabasco, sur le golfe du Mexique. L'essor industriel a entraîné la formation dans l'atmosphère d'une couche de gaz carbonique qui participe au réchauffement de la Terre.

Les pays en développement

Les pays en voie de développement connaissent une croissance lente, mais réelle, du revenu par tête.

Les menaces de famine sont écartées – sauf dans les cas de conflits armés – non seulement dans les grands pays asiatiques, mais aussi en Afrique. La croissance industrielle n'est forte et continue que dans des pôles exportateurs. La plus grande menace sur le processus de développement dans ces pays provient, d'une part, de l'accroissement de la dépendance alimentaire et, d'autre part, de la baisse, voire de l'arrêt, depuis une quinzaine d'années, des investissements sociaux (logement, santé, éducation, infrastructures urbaines). Les changements climatiques constituent un autre obstacle de taille.

Il paraît donc irrémédiable que se produisent dans un avenir plus ou moins proche d'importants changements climatiques. Il est donc nécessaire, dans la mesure du possible, d'en prévenir les effets, d'autant plus qu'une importante croissance démographique va continuer dans de nombreux pays.

Les pays du tiers-monde étaient jusqu'alors le théâtre d'une sorte de course de vitesse entre la croissance démographique et le développement des ressources dont pouvait disposer la population. Aux diverses difficultés qui avaient freiné leur croissance économique vont s'ajouter dans l'avenir celles qui vont résulter des changements climatiques et, notamment, de l'extension de l'aridité dans des zones fortement peuplées.

Ce n'est d'ailleurs pas seulement le très grand accroissement de l'effectif total de la population qui doit susciter l'inquiétude quant aux ressources en eau de la planète, mais surtout le fait que, dans la plupart des pays, la population tend de plus en plus à se concentrer sur des espaces relativement restreints, en l'occurrence les grandes villes. Dans le tiers-monde, certaines d'entre elles dépassent la dizaine de millions d'habitants et la plupart manquent déjà cruellement d'eau.

Dans les pays riches, un grand nombre de villes seront sans doute confrontées dans un avenir plus ou moins proche à un problème de pénurie, tant en raison de l'accroissement rapide de leur consommation en eau que de la difficulté d'exploiter de nouvelles ressources hydrauliques. La responsabilité de ceux qui ont la charge de veiller à l'alimentation en eau d'une ville s'annonce difficile, car ce sont des prévisions et des projets à long terme qu'ils doivent proposer à leurs concitoyens, alors qu'il y a tant d'autres besoins à court terme. Tout cela entraîne une série de vastes problèmes qui sans aucun doute vont s'accroître dans les années à venir. Ils méritent donc une réflexion globale qui envisage aussi bien les conditions naturelles que les changements politiques et culturels. Cette concentration spatiale de la population sur des espaces restreints dans la plupart des pays est un phénomène majeur qui n'est pas suffisamment pris en compte lorsqu'il s'agit du problème de l'eau.

Les premiers pas de la révolution hydraulique

Il importe de se rappeler comment, pour ce qui est de l'alimentation en eau, les pays d'Europe occidentale ont fait face à l'accroissement des grandes villes

Station de lavage, de cirage et d'emballage des bananes pour l'exportation.
L'industrie de la banane – ici une entreprise au Cameroun – est une grande consommatrice d'eau.

qui s'est déclenché au XIXᵉ siècle. Certes, cette croissance démographique était moins rapide que la véritable «explosion démographique» qui se déclenchera un siècle plus tard dans les pays du tiers-monde, mais les dirigeants européens furent confrontés à des problèmes nouveaux pour lesquels il fallut inventer des solutions nouvelles. L'eau des cours d'eau traversant les villes, et dont on s'était satisfait depuis des siècles, malgré les immondices qu'elle contient, apparaît brusquement dangereuse.

En Europe occidentale, la «révolution industrielle» qui se déclenche dans les villes en plein essor s'est accompagnée d'une autre véritable révolution, celle de l'hydraulique et des adductions d'eau. On a commencé à construire des canalisations dont la convergence vers chaque grande ville permit de remplir des réservoirs avec de l'eau captée à des sources ou des rivières plus ou moins lointaines.

Et bientôt, en quelques décennies, dans chaque grande ville européenne, tout d'abord dans les quartiers riches, plus tardivement dans les quartiers pauvres, c'est tout un réseau de canalisations souterraines qui suivent les rues au pied des maisons, et d'innombrables tuyaux qui montent «l'eau courante» (sous pression)

État du Rajasthan, Inde. L'approvisionnement en eau reste encore largement tributaire de moyens artisanaux.

à tous les étages des immeubles. De surcroît, le prix de cette eau plus abondante et plus propre est bien moins cher que celui qu'il fallait payer aux porteurs d'eau. Par ailleurs, les « eaux usées » qui charrient les excréments (jusqu'alors, ils allaient à la rue) sont évacuées par un réseau des égouts qui se déverse vers le fleuve ou la rivière, ou, au mieux, hors des villes, vers des champs d'épandage. Plus tard, on construira des stations d'épuration.

Tout cela implique que dans les villes européennes s'est propagée soudainement l'idée de propreté et d'hygiène qui traduisent de nouvelles exigences sociales et de nouvelles conditions d'existence. Cette révolution hydraulique a eu, en vérité, une importance considérable, mais on ne s'en rend guère compte aujourd'hui. À la différence de la révolution industrielle et des transports, dont l'héritage est encore spectaculaire avec des usines et des voies ferrées qui occupent une notable partie des espaces urbains, les marques de la révolution hydraulique ne se voient pas dans les rues, car ses canalisations sont enterrées. Elles sont pourtant extrêmement nombreuses. Bien hiérarchisées, elles forment des circuits très complexes. Dans les pays développés, il est devenu inconcevable aujourd'hui qu'un logement n'ait pas « l'eau courante ». La distribution de l'eau, pratiquement en tous lieux, s'est banalisée grâce à la réalisation progressive d'innombrables réseaux de canalisations. Mais, ces réseaux, qui les a établis ? qui les a financés ? Répondre à ces questions est une manière de suggérer les moyens grâce auxquels la révolution hydraulique, qui n'a pas encore été menée à bien dans les pays du tiers-monde, peut y être réalisée.

Le rôle fondateur des municipalités

Si les usines, les mines, les voies ferrées, etc., bref, ce qui a constitué au XIXᵉ siècle l'essentiel de la révolution industrielle, ont été l'œuvre d'entrepreneurs et de financiers privés, en revanche la révolution hydraulique avec les principales adductions d'eau et les égouts a été réalisée par les municipalités et avec, pour les plus importantes, le soutien de l'État. Encore aujourd'hui, dans la plupart des pays, la distribution de l'eau relève de régies municipales. Mais, en France tout particulièrement, des communes délèguent à des compagnies privées pour des durées longues et renouvelables (par des contrats de gérance, d'affermage ou de concession) la charge, moyennant rémunération, de distribuer l'eau. Cependant, celle-ci reste fondamentalement propriété publique.

Une grande particularité juridique de l'eau des cours d'eau est qu'à la différence du sol elle ne peut être appropriée privativement. En revanche, une source, une mare, un étang, un petit lac font partie de la propriété foncière où ils se trouvent. Sans doute est-ce le fait que l'eau coule toujours vers la mer, malgré un stockage momentané, même derrière un barrage, qui explique qu'elle n'ait pas été considérée comme un bien privatisable. L'eau des cours d'eau relève de la puissance publique, c'est-à-dire celle de l'État et des collectivités territoriales dont ils traversent le territoire. Si cette particularité juridique, qui est ancienne, explique le rôle des municipalités dans les travaux d'adduction d'eau, elle n'explique pas pourquoi la révolution hydraulique s'est seulement déclenchée au XIXᵉ siècle, en mettant massivement en œuvre des techniques, comme celles de l'aqueduc, qui étaient pourtant connues depuis fort longtemps. Cela peut être expliqué par d'importants changements sociaux et surtout par les progrès, dans certains pays, d'une démocratisation de la vie publique. On sait que les débuts de la révolution industrielle, à la fin du XVIIIᵉ siècle en Angleterre et au début du siècle suivant en France ou en Allemagne, sont à mettre en rapport avec la montée en puissance des classes bourgeoises. À mon avis, il en est de même pour les débuts de la révolution hydraulique dans ces pays.

Demander
CATALOGUE D
et tous
renseignements

DISTRIBUTION
→ **AUTOMATIQUE**

de L'EAU sous PRESSION
PAR →
→ **LA POULIE-POMPE**

ÉTABLISSᵀˢ L. HAMM
23, Rue de Ponthieu, PARIS (8ᵉ)
Tél. : Élysées 14-45.

France, début du XXᵉ siècle.
La poulie-pompe permet la distribution automatique de l'eau sous pression dans une maison à plusieurs étages.

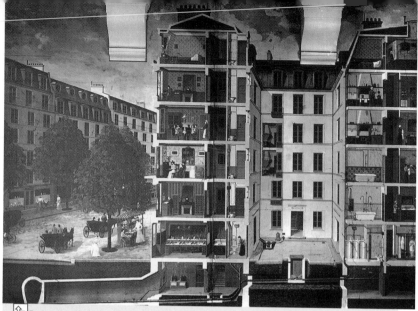

Paris, vers 1900. Ce schéma illustre l'installation du tout-à-l'égout, vecteur privilégié de la révolution sanitaire, dans un immeuble bourgeois.

En effet, ces bourgeoisies, majoritairement urbaines et politiquement de plus en plus influentes, ont voulu disposer, elles aussi, dans leurs demeures d'eau relativement pure et en quantité abondante, ce qui avait été jusqu'alors l'apanage des palais et des hôtels de la haute aristocratie. De surcroît, la révolution industrielle entraîne l'essor de petites et moyennes bourgeoisies et l'accroissement de classes ouvrières. Les unes et les autres vont profiter de la démocratisation de la vie politique pour réclamer des adductions d'eau et des égouts aux candidats qui, dans les villes, briguent les suffrages des classes moyennes et des milieux populaires. Les élus municipaux, et tout d'abord les maires, pour se faire réélire, ont joué un rôle majeur dans l'extension et l'entretien des réseaux d'eau courante et des égouts dans les quartiers populaires.

Révolution industrielle et révolution hydraulique : une parenté éclairante

S'il est éclairant de rapprocher les débuts de la révolution hydraulique de ceux de la révolution industrielle, il est non moins intéressant de signaler que l'une et l'autre se sont déroulées progressivement en plusieurs étapes : la révolution industrielle a commencé avec la production du fer et de la fonte, l'extraction du charbon, les chemins de fer, et elle a continué avec la production de l'acier, le développement de l'électricité, de la chimie, etc., avec des progrès scientifiques de plus en plus importants. La révolution hydraulique a commencé avec quelques canalisations d'eau plus ou moins saine ; elle s'est poursuivie par la réalisation des égouts, puis par la diffusion de l'eau potable, par des stations d'épuration et par la mise en œuvre, aujourd'hui, de techniques scientifiques de plus en plus sophistiquées, tant pour assurer le traitement des eaux que pour lutter contre les diverses formes de pollution.

Il est encore plus intéressant de comparer l'extension de la révolution industrielle et de la révolution hydraulique au plan mondial. Après avoir débuté en Angleterre au XVIIIe siècle et s'être propagée au XIXe siècle dans de nombreux pays d'Europe occidentale, la révolution industrielle, au sens global du terme, avec ses transformations sociales et l'ensemble de ses activités industrielles et commerciales, ne s'est rapidement diffusée qu'aux États-Unis.

Porteur d'eau en Turquie. De nombreuses régions de Turquie sont encore soumises au régime des porteurs d'eau.

Dans ce pays, les municipalités des grandes villes ont bientôt installé l'eau courante. Par contre, dans les pays d'Europe orientale, en Russie, mais aussi dans les pays méditerranéens, c'est-à-dire dans des sociétés encore fort peu démocratiques et où le pouvoir d'achat des populations restait très restreint, la révolution industrielle n'a été que très partiellement implantée et de surcroît avec retard. Dans les villes de ces pays, les adductions d'eau sont longtemps restées très limitées à quelques quartiers, les plus riches.

L'eau et le droit administratif

En principe les eaux – étangs, lacs et rivières – obéissent au droit commun de la propriété. Cependant, certains cours d'eau et lacs sont incorporés au domaine public fluvial et constituent dès lors des « cours d'eau et lacs domaniaux ». Il en va obligatoirement ainsi des rivières et lacs navigables et flottables. En outre, l'administration peut, par décret, classer dans la catégorie des cours d'eau et lacs domaniaux les cours d'eau, lacs et canaux qui ne sont pas ou qui ne sont plus navigables ou flottables lorsque ces eaux sont nécessaires au développement d'activités générales. Les cours d'eau et lacs domaniaux obéissent aux règles applicables au domaine public.

📷 **Épuration des eaux usées à Buenos Aires.**
L'Argentine, comme la plupart des pays d'Amérique latine, a mis en place une véritable politique de l'eau.

Le cas de la Russie est tout à fait singulier. Dans la plupart des quartiers des villes russes, l'eau est encore aussi maigrement distribuée que dans les villes d'Europe occidentale il y a un siècle et demi. Le retard est d'autant plus long à rattraper que les rigueurs hivernales font éclater régulièrement les canalisations mal protégées du froid.

L'hygiène publique

L'hygiène publique désigne l'ensemble des mesures de prévention et de lutte contre les maladies contagieuses. Dans les pays développés, le maintien de l'hygiène publique est du ressort des municipalités. Ainsi, il appartient au maire d'assurer le service de désinfection, de prendre les mesures sanitaires concernant les individus – déclaration des maladies contagieuses, vaccination et revaccination, etc. –, les immeubles – permis de construire, assainissement, etc. – et les localités – assainissement, eaux, égouts.

On sait évidemment que pendant longtemps la révolution industrielle ne s'est guère propagée dans les pays du tiers-monde. Elle a commencé depuis quelques décennies en Amérique latine et en Asie, et elle en est encore à ses balbutiements en Afrique tropicale, à l'exception de l'Afrique du Sud. Mais, dans les villes, la révolution hydraulique commence à peine à toucher les quartiers les moins défavorisés. Ce retard est d'autant plus grave que depuis une cinquantaine d'années les grandes villes du tiers-monde connaissent une croissance démographique extraordinairement rapide. La population de nombre d'entre elles double tous les douze à quinze ans, c'est-à-dire à un rythme sans commune mesure avec celui des villes européennes ou nord-américaines. Les villes du tiers-monde, et surtout les grandes agglomérations, vont continuer de s'accroître dans les prochaines décennies à des rythmes extrêmement rapides, tant du fait de l'excédent naturel que de l'exode rural et des migrations des petites villes vers les grandes où l'on trouve plus d'occasions de gagner un peu d'argent. Cette concentration démographique des ruraux et des habitants des petites villes dans les grandes agglomérations entraîne une augmentation plus que proportionnelle des besoins en eau.

Alors qu'à la campagne l'on se débarrasse aisément des excréments, il faut des égouts en ville et donc de l'eau, afin d'éviter qu'ils se bouchent et que des quartiers surpeuplés ne se transforment en cloaque pestilentiel.

On serait tenté de confondre la pénurie d'eau que connaissent aujourd'hui les villes du tiers-monde avec celle qui a sévi autrefois durant des siècles dans les villes européennes. Entre ces situations, les différences sont considérables. Alors que la croissance des villes du tiers-monde est extrêmement rapide, les villes européennes avant la révolution industrielle s'accroissaient relativement lentement. Mais la différence majeure est que les citadins d'autrefois n'imaginent pas que l'on puisse disposer d'eau, et que celle-ci doive être « propre » (en effet la notion de « propreté » est moderne), alors qu'aujourd'hui, dans les villes du tiers-monde, la plupart des habitants des taudis et des bidonvilles connaissent l'existence des quartiers aisés où il y a l'eau courante, des égouts et même des piscines. Aussi voit-on se développer dans nombre de villes du tiers-monde de puissantes revendications pour l'eau courante et les égouts, sans avoir à passer par les exigences des marchands de liquides plus ou moins sales.

Salle de bains moderne américaine.
Cette publicité de 1921 témoigne de l'avance des États-Unis en matière sanitaire.

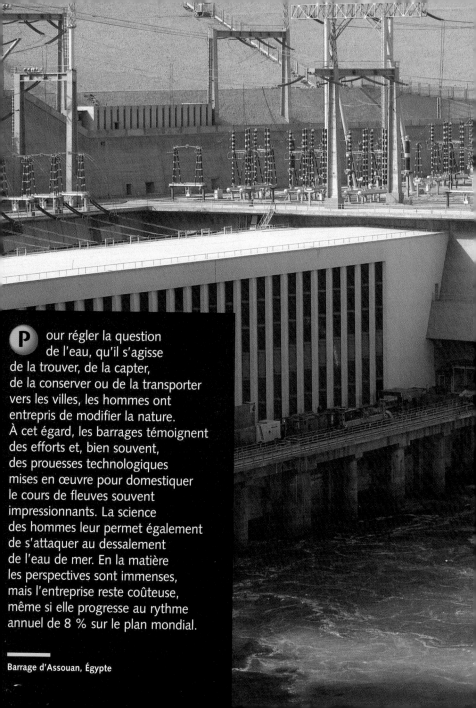

P our régler la question
de l'eau, qu'il s'agisse
de la trouver, de la capter,
de la conserver ou de la transporter
vers les villes, les hommes ont
entrepris de modifier la nature.
À cet égard, les barrages témoignent
des efforts et, bien souvent,
des prouesses technologiques
mises en œuvre pour domestiquer
le cours de fleuves souvent
impressionnants. La science
des hommes leur permet également
de s'attaquer au dessalement
de l'eau de mer. En la matière
les perspectives sont immenses,
mais l'entreprise reste coûteuse,
même si elle progresse au rythme
annuel de 8 % sur le plan mondial.

Barrage d'Assouan, Égypte

Enjeux et moyens techniques

Enjeux
et moyens techniques

> Pour alimenter en eau des villes de plus en plus considérables,
>
> il faut réaliser de grands travaux hydrauliques afin de tirer parti
>
> des ressources hydrologiques qui se trouvent à plus ou
>
> moins grande distance des lieux où se concentre la population.

Les premiers barrages

Les grandes entreprises de génie civil disposent aujourd'hui d'engins qui permettent d'effectuer dans des délais relativement courts des travaux de terrassement que l'on jugeait irréalisables dans la première moitié du XXe siècle. Les premiers barrages ont été autrefois construits pour l'irrigation. Ce fut le cas par exemple dans l'Antiquité dans certaines vallées des montagnes du Yémen. Mais, jusqu'à une époque récente, c'était surtout l'eau des fleuves qui était détournée par des canaux sur la majeure partie des surfaces irriguées. Lors des crues, le fleuve submergeait les étendues cultivées : ce fut le cas en Égypte jusqu'au début du XXe siècle. Alors qu'on estime à 8 millions d'hectares le total mondial des étendues irriguées,

Haut Tonkin, 1922. Roue élévatrice pour l'irrigation à la frontière chinoise dans l'actuel Viêt Nam.

Le premier barrage d'Assouan, vers 1902. L'ouvrage a été surélevé entre 1912 et 1934 pour atteindre 44 m de haut.

leur surface est passée à 48 millions d'hectares en 1900, à 100 millions en 1950 et à 270 millions aujourd'hui. On estime qu'environ 40 % de ces surfaces sont irriguées par de l'eau stockée derrière des barrages, les deux tiers étant arrosées par l'eau dérivée des fleuves par des canaux. Abstraction faite des grandes étendues agricoles où les cultures poussent avec l'eau des pluies, on peut avancer qu'au plan mondial c'est à l'agriculture que sont destinés les 70 % de l'eau faisant l'objet d'opérations hydrauliques (stockage derrière des barrages ou transport sur d'assez grandes distances par canaux). 22 % de l'eau faisant l'objet d'opérations hydrauliques sont destinés à l'industrie et à la production d'énergie et 8 % seulement servent aux usages domestiques (boisson, hygiène, lavage, fonctionnement des égouts).

La production d'hydroélectricité

C'est à la fin du XIXe siècle que l'on a commencé à construire des barrages pour la production d'hydroélectricité, tout d'abord en montagne, dans des vallées relativement étroites : ce sont alors des barrages de haute chute, où l'eau arrive à grande vitesse sur les turbines par des conduites forcées.

L'un de ces ouvrages, le barrage Atatürk, en Turquie, s'élève sur une hauteur de 150 m.

Les barrages de basse chute ont été construits sur de grands fleuves, dans des plaines et des vallées très larges. Ils ne sont pas très hauts, mais longs de trois ou quatre kilomètres, comme le barrage d'Assouan sur le Nil, qui s'étend sur 3,6 km pour une hauteur de 111 m. La vallée du Nil, submergée en amont sur plus de 200 km, forme le lac Nasser, d'une superficie de 60 000 km^2.

45 000 barrages

D'après la Commission mondiale des barrages, il existe 45 000 barrages de plus de 15 mètres de hauteur dans le monde : 22 000 en Chine (soit 45 %), 6 575 aux États-Unis (14 %), 4 291 en Union indienne (9 %), 2 675 au Japon (6 %), 1 196 en Espagne (3 %), 765 en Corée du Sud (2 %), 739 au Canada (2 %), 625 en Turquie, 594 au Brésil (1 %), 569 en France (1 %). Un certain nombre de ces barrages, et notamment les plus grands, ont été construits pour la production d'hydroélectricité.

Sur une production hydroélectrique mondiale de 2 607 TWh, le Canada est le premier producteur avec 331 TWh (avec notamment le grand complexe hydroélectrique de la baie James, au sud de la grande baie d'Hudson) ; le deuxième producteur est le Brésil avec 268 TWh (avec notamment la série de barrages de la vallée du Paraná) ; le troisième producteur est la Chine avec 241 TWh. Viennent ensuite les États-Unis, 205 TWh (avec notamment les barrages de la région nord-ouest, dans les États de l'Oregon et de Washington),

Union soviétique, 1930.
Ce barrage réservoir en cours de construction sur le Dniepr est l'un des nombreux ouvrages de ce type érigés le long des 2 300 km du fleuve.

Vallée du Tennessee, États-Unis. Le barrage de Chickamauga est l'un des neuf ouvrages construits dans le cadre de la Tennessee Valley Authority lancée en 1933.

la Russie 166 TWh (avec les grands barrages de Sibérie), la Norvège 102 TWh, le Japon 97 TWh, l'Inde 80 TWh, la Suède 79 TWh et la France 78 TWh. Nombre de ces grands barrages ont été construits dans des régions très faiblement peuplées. Aussi, une partie de l'électricité fournie par leurs turbines est utilisée localement à la production d'aluminium ou d'engrais ; la plus grande partie est transportée au loin par des lignes à haute tension vers les régions de fort peuplement et les agglomérations urbaines. C'est notamment le cas du grand barrage d'Itaipú, construit sur le fleuve Paraná, à la frontière du Paraguay et du Brésil. L'électricité créée devait être partagée entre les deux États, mais, comme la consommation d'électricité du Paraguay est encore faible, il revend la plus grande partie de sa part au Brésil.

Le barrage des Trois Gorges

Le barrage dont on parle le plus actuellement, car il sera le plus grand du monde, est celui qui est en construction en Chine sur le fleuve Yangzi Jiang, le barrage des «Trois Gorges». Cette appellation vient d'une très célèbre section du cours du Yangzi Jiang, entre le Bassin rouge en amont (province du Sichuan avec la grande ville de Chongqing) et le cours moyen qui passe par la grande ville de Wuhan, dans la province du Hubei. Ces trois gorges sont célèbres en Chine depuis des siècles en raison de leur étroitesse et de la violence du courant. Le projet prévoit la construction d'un barrage long de 2,3 km et haut de 185 m, soit 5 m au-dessus du niveau du lac de retenue ; un tel réservoir, dont la capacité est de 39 milliards de mètres cubes, est susceptible de retenir les plus fortes crues du fleuve et de protéger les populations du cours moyen du Yangzi Jiang d'inondations dont la

Les grands barrages

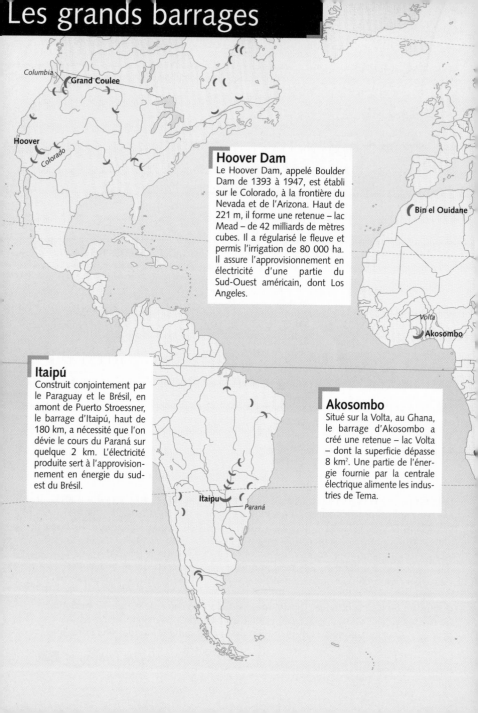

Columbia

Grand Coulee

Hoover

Colorado

Bin el Ouidane

Volta

Akosombo

Hoover Dam

Le Hoover Dam, appelé Boulder Dam de 1393 à 1947, est établi sur le Colorado, à la frontière du Nevada et de l'Arizona. Haut de 221 m, il forme une retenue – lac Mead – de 42 milliards de mètres cubes. Il a régularisé le fleuve et permis l'irrigation de 80 000 ha. Il assure l'approvisionnement en électricité d'une partie du Sud-Ouest américain, dont Los Angeles.

Itaipú

Construit conjointement par le Paraguay et le Brésil, en amont de Puerto Stroessner, le barrage d'Itaipú, haut de 180 km, a nécessité que l'on dévie le cours du Paraná sur quelque 2 km. L'électricité produite sert à l'approvisionnement en énergie du sud-est du Brésil.

Itaipu — Paraná

Akosombo

Situé sur la Volta, au Ghana, le barrage d'Akosombo a créé une retenue – lac Volta – dont la superficie dépasse 8 km^2. Une partie de l'énergie fournie par la centrale électrique alimente les industries de Tema.

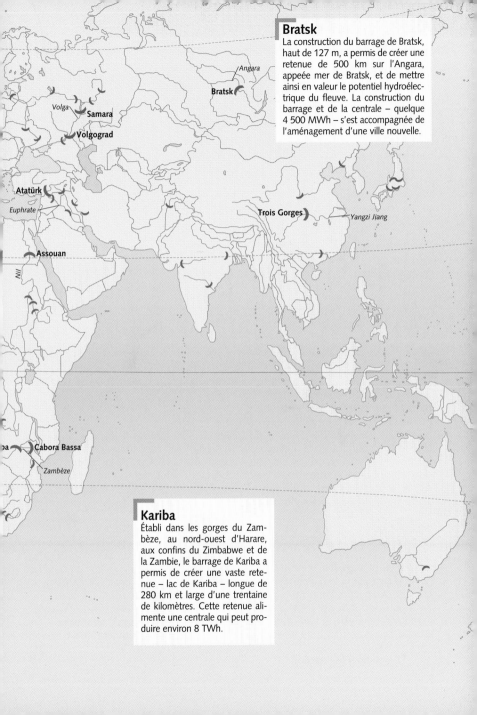

Bratsk

La construction du barrage de Bratsk, haut de 127 m, a permis de créer une retenue de 500 km sur l'Angara, appeée mer de Bratsk, et de mettre ainsi en valeur le potentiel hydroélectrique du fleuve. La construction du barrage et de la centrale – quelque 4 500 MWh – s'est accompagnée de l'aménagement d'une ville nouvelle.

Angara

Bratsk

Volga

Samara

Volgograd

Atatürk

Euphrate

Trois Gorges *Yangzi Jiang*

Assouan

Nil

Cabora Bassa

Zambèze

Kariba

Établi dans les gorges du Zambèze, au nord-ouest d'Harare, aux confins du Zimbabwe et de la Zambie, le barrage de Kariba a permis de créer une vaste retenue – lac de Kariba – longue de 280 km et large d'une trentaine de kilomètres. Cette retenue alimente une centrale qui peut produire environ 8 TWh.

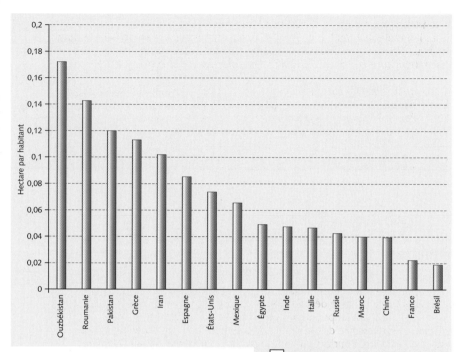

Superficies irriguées par habitant pour quelques pays du monde en 2000.	

gravité s'accroît d'année en année. Le barrage permettra une considérable production d'hydroélectricité (équivalente à celle d'une vingtaine de centrales nucléaires ou à 50 millions de tonnes de charbon) et fournira 10 % de la consommation d'électricité totale de la Chine. Les écluses et les ascenseurs à bateaux construits sur le flanc du barrage permettront à des navires d'assez gros tonnage de remonter le Yangzi Jiang, depuis le port de Shanghai jusqu'au Bassin rouge, et de naviguer à leur aise sur le grand lac qui s'y sera formé.

Le projet du barrage des Trois Gorges est aussi de transférer 1 200 km plus au nord quelque 10 milliards de mètres cubes vers Pékin et la plaine de Chine du Nord. En effet, alors que la moitié méridionale de la Chine subit des inondations de plus en plus graves, le nord-est de la Chine connaît une sécheresse chronique, et le fleuve Huang He, à certaines saisons, n'a presque plus d'eau d'autant qu'il est soumis à d'importants prélèvements pour l'irrigation. À vol d'oiseau, il y a près de 1 300 km entre le barrage des Trois Gorges et Pékin ; mais il n'y a que 600 km entre le barrage et la vallée du Huang He, lorsqu'il débouche dans la plaine de Chine du Nord. Il faudra toutefois que les canalisations traversent en tunnels des montagnes. Il existe un autre tracé. Bien que trois fois plus long, il est bien moins coûteux. Il s'agirait de passer par les plaines en utilisant le canal Impérial. Creusé il y a des siècles, ce dernier permet aux bateaux d'aller de l'embouchure du Yangzi Jiang à Pékin, sans passer par la mer.

La construction du barrage des Trois Gorges suscite cependant des inquiétudes et des critiques : certains craignent qu'il se fissure ou même qu'il se rompe sous l'effet d'un violent tremblement de terre. D'autres déplorent que le lac de barrage submerge des vestiges archéologiques. Les autorités de Shanghai, le plus grand port de la Chine, redoutent que les villes situées sur le Yangzi Jiang, et notamment celles du Bassin rouge, puissent être directement accessibles par des navires de mer de moyen tonnage, ce qui va réduire le rôle de Shanghai comme principale porte d'entrée de la Chine.

Le dessalement de l'eau de mer

Le dessalement de l'eau de mer constitue un autre moyen pour disposer d'eau, mais il est extrêmement coûteux. Il n'est envisageable que pour des pays disposant de beaucoup d'énergie bon marché. C'est le cas de l'Arabie saoudite, qui vient en tête pour le dessalement de l'eau de mer. Sa capitale, Riyad, située en plein désert, a une population qui s'accroît rapidement : elle dépasse déjà les 4 millions d'habitants et devrait atteindre 10 millions en 2020. La population de Riyad est alimentée à 80 % par de l'eau en provenance des usines de dessalement de l'eau du golfe Persique, distant de 400 km. Pourtant, la consommation journalière en eau (286 litres) d'un habitant de Riyad est deux fois celle que consomme un Français.

Plus surprenant encore, le prix du mètre cube d'eau à Riyad est 100 fois moins cher qu'à Paris ! Cela peut, pour une part, s'expliquer par le fait que les différents procédés pour traiter l'eau de mer utilisent une énergie très bon marché, le gaz naturel que l'Arabie saoudite n'exporte pas encore. Il brûle jour et nuit depuis des années dans d'immenses torchères. Malgré cela, le prix de l'eau à Riyad devrait être beaucoup plus élevé, mais le prix de revient réel reste un secret politique. En effet, la dynastie saoudienne, fière de ses traditions bédouines, tient à manifester son opulence en faisant couler l'eau dans sa capitale au milieu du désert, pour arroser le gazon des pelouses et faire fonctionner les jets d'eau. Il y a quelques années, malgré un prix de revient triple des cours mondiaux, elle faisait aussi cultiver

L'essor de l'industrie de dessalement de l'eau de mer

L'industrie du dessalement de l'eau de mer progresse au plan mondial de 8 % par an. Avec une capacité de traitement de 5 millions de m^3 par jour, l'Arabie saoudite vient largement en tête, devant les États-Unis, qui ont une capacité de 2,7 millions de m^3/jour. On trouve ensuite les Émirats arabes unis avec 2,1 millions de m^3/jour, la Libye (636 000 m^3/jour) et le Koweït (628 000 m^3/jour). Le Japon, le Qatar, l'Espagne, l'Italie et l'Iran ayant des capacités de dessalement comprises entre 400 000 et 500 000 m^3/jour.

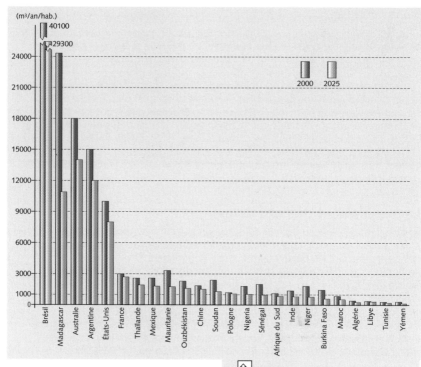

(m³/an/hab.)

40100
29300

24000
21000
18000
15000
12000
9000
6000
3000
1000
0

Brésil · Madagascar · Australie · Argentine · États-Unis · France · Thaïlande · Mexique · Mauritanie · Ouzbékistan · Chine · Soudan · Pologne · Nigeria · Sénégal · Afrique du Sud · Inde · Niger · Burkina Faso · Maroc · Algérie · Libye · Tunisie · Yémen

2000 2025

Projection en 2025 de la disponibilité en eau par habitant.

du blé sur de vastes surfaces arrosées au milieu du désert : des forages faisaient jaillir l'eau de nappes souterraines qui ne se renouvellent plus et qui sont l'héritage de temps géologiques très anciens, lorsque la péninsule Arabique se situait dans la zone équatoriale. On sait que la plaque géologique africaine, comme celle d'Arabie, remonte vers le nord du fait de la « dérive des continents ». Le gouvernement saoudien, qui cherche aujourd'hui à ne plus dilapider ses ressources hydrologiques, a progressivement augmenté le prix de l'eau pour inciter la population à se montrer plus économe.

Le problème du prix de l'eau

Le cas de la capitale de l'Arabie saoudite, où l'eau est facturée au consommateur cent fois moins cher qu'à Paris, montre que dans bien des cas le prix de vente de l'eau n'est pas fonction de son prix de revient (lequel résulte principalement des données naturelles, de la plus ou moins grande abondance des pluies), mais de facteurs politiques beaucoup plus complexes. Dans de nombreux pays,

 **Zone d'irrigation en Jordanie.** La construction du canal dit « du Ghor oriental », dont l'eau provient du Yarmouk, a permis le développement d'une région de culture irriguée

les dirigeants doivent tenir compte des relations traditionnelles de l'État avec les populations rurales, lesquelles constituent encore une plus ou moins grande partie de la population totale. Ainsi, en Égypte, depuis que le barrage d'Assouan permet une irrigation permanente des champs (ce qui n'était pas le cas autrefois), le gouvernement sait qu'il faudrait inciter les paysans à utiliser moins d'eau, notamment pour éviter qu'elle n'atteigne le sel qui se trouve en profondeur dans le sol et qui remonte à la surface sous l'effet de l'évaporation. Un phénomène qui entraîne un dangereux processus de salinisation-stérilisation des sols.

Le meilleur moyen pour réduire les excès d'arrosage serait de faire payer l'eau aux paysans. Mais ceux-ci s'y refusent, car ils ne l'ont jamais payée. En Espagne, malgré la pénurie qui résulte de la sécheresse d'une grande partie du pays, le prix de vente de l'eau est deux fois moins élevé qu'en France. Pourtant, le gouvernement espagnol ne parvient pas à faire accepter une hausse des prix de l'eau, car cela pénaliserait les exploitations irriguées qui réalisent l'essentiel des exportations des fruits et légumes de la péninsule.

Il faut savoir que dans de nombreux pays le prix de l'eau prend en compte des dépenses relativement coûteuses : celles de l'épuration des eaux usées. L'assainissement revient aujourd'hui aussi cher que la fourniture de l'eau potable. Il est désormais interdit que les égouts

Le prix de l'eau dans l'Union européenne

Dans l'Union européenne, les prix moyens de l'eau vont de 0,32 euro le mètre cube en Suède; à 1,78 euro le mètre cube en Allemagne. La France, comme le Royaume-Uni, se tient en position médiane avec 1,1 euro le mètre cube. Un tel écart traduit de grandes différences de densités de population et donc de besoin : l'Allemagne compte 235 hab./km² et la Suède dix fois moins. La Belgique avec 332 hab./km² et les Pays-Bas avec 464 hab./km², affichent des prix de vente de l'eau relativement élevés : respectivement 1,39 et 1,13 le mètre cube.

se déversent directement dans les fleuves ou dans la mer. Le traitement des eaux usées dans des stations d'épuration constitue une série d'opérations complexes qui s'effectuent sous l'action de bactéries stimulées par de l'oxygène qui digèrent les matières organiques. En Italie et en Espagne, les prix de l'eau se situent entre 0,51 et 0,68 euro par mètre cube en dépit d'une pénurie plus ou moins marquée selon les régions. Des prix maintenus bas, d'une part, pour éviter un renchérissement des exportations de produits agricoles qui ont été irrigués, et, d'autre part, parce que le traitement des eaux usées n'est pas encore systématique.

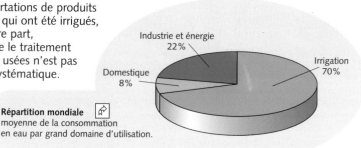

Industrie et énergie 22%

Irrigation 70%

Domestique 8%

Répartition mondiale moyenne de la consommation en eau par grand domaine d'utilisation.

Si des différences sensibles peuvent être observées selon les États entre les prix moyens de l'eau qui y sont pratiqués, les différences sont encore plus marquées dans le cadre d'un même État entre les prix de l'eau selon les régions. C'est tout particulièrement le cas en France.

Géographie des prix de l'eau dans les pays industrialisés

Une étude récente du ministère de l'Agriculture et de l'Institut français de l'environnement montre qu'en France le prix de l'eau varie de un à quatre selon les communes et les départements (5 000 communes ayant été prises en compte ainsi que toutes les villes de plus de 10 000 habitants). Ces différences résultent de divers facteurs : gestion communale ou gestion d'une entreprise privée, prise en compte du coût de l'assainissement, lequel revient aussi cher que la fourniture

Station d'épuration en Allemagne. Le bassin de décantation permet de purifier l'eau en la laissant reposer : le dépôt des particules est accéléré par des centrifugeuses.

d'eau potable. Nombre de données géographiques, nature des sols, caractéristiques régionales du climat, densités de peuplement, types d'agriculture, etc., interviennent aussi dans les différences de prix de l'eau. Mais, alors que l'on s'attendrait à ce que l'eau soit la plus chère dans les départements du Midi, compte tenu de la forte fréquentation touristique estivale qui se combine avec la forte évaporation due à la chaleur et à la rareté bien connue des pluies d'été en climat méditerranéen, c'est au contraire dans le nord-ouest de la France, pourtant bien arrosé et où l'évaporation n'est pas très forte l'été, que l'eau est la plus chère.

Cela s'explique par le jeu de plusieurs facteurs : il faut d'abord tenir compte du fait que les départements du Midi reçoivent de nombreux cours d'eau dont le débit est important, car ils descendent de montagnes bien arrosées (Alpes, Pyrénées, Massif central). Par ailleurs, des barrages ont été construits dans les vallées pour stocker leurs eaux. En revanche, les cours d'eau sont beaucoup moins nombreux et leur débit est bien moindre en Bretagne, en Normandie et sur les côtes vendéenne et charentaise. D'autre part, en France comme ailleurs, il faut tenir compte du fait que le prix de l'eau est de plus en plus fonction des dépenses qu'occasionnent la construction et l'entretien des stations d'épuration. Or celles-ci, dans les régions à forte fréquentation touristique, doivent être calibrées par rapport à une population triple ou quadruple pendant les mois d'été.

Usine de traitement des eaux, à Mexico. Les grandes villes des pays intermédiaires se sont équipées des installations nécessaires à l'assainissement des eaux.

Cette contrainte devrait peser tout autant sur les localités du littoral atlantique que sur celles des côtes méditerranéennes. La différence, disent les spécialistes, est que ces dernières jouxtent de grandes profondeurs marines où il est possible d'envoyer discrètement sous pression l'eau des égouts, alors que ce procédé n'est pas possible sur les côtes de l'Atlantique. Elles sont en effet bordées par une large plate-forme continentale de faible profondeur, balayée de plus par les marées qui ramèneraient sur les plages les déjections urbaines.

Sur le long terme, les besoins en eau augmentent de plus en plus rapidement, non seulement à cause de l'accroissement des populations urbaines, mais aussi en raison

Composition de l'eau à l'état naturel

L'eau destinée à la consommation peut provenir de captage de sources, de puits (eau souterraine) ou de prise d'eau en rivière (eau superficielle). À l'état naturel, elle comprend des gaz dissous provenant de l'atmosphère ou de la décomposition des roches traversées, des matières dissoutes (carbonates, chlorures, nitrates, phosphates) à raison de quelques milligrammes à plusieurs centaines de milligrammes par litre suivant les terrains, des matières organiques provenant de la décomposition des végétaux, des particules d'argile en suspension colloïdale, des bactéries, des micro-organismes dont la répartition varie selon le régime des eaux.
Il est de plus en plus rare que la qualité des eaux tant souterraines que de surface soit satisfaisante.

de l'élévation du niveau de vie, et tout d'abord celui des catégories sociales aisées : on y a le goût de la propreté corporelle et vestimentaire. Ce qui en France, comme dans d'autres pays européens d'alors, pouvait apparaître, il y a une cinquantaine d'années, comme un luxe – la salle de bains et les toilettes dans l'appartement – est considéré aujourd'hui comme un équipement indispensable dans les logements populaires (HLM). De surcroît, dans les pays riches, on refuse de boire de l'eau qui a mauvais goût à cause du chlore ou de l'ozone que l'on utilise pour la désinfecter. On s'inquiète des différentes sortes d'impuretés qui peuvent se trouver dans l'eau. Ainsi les écologistes s'opposent à ce qu'elle contienne des nitrates provenant des engrais utilisés massivement dans l'agriculture.

Il en est ainsi dans la plupart des pays de l'Union européenne. Cela entraîne la définition d'une politique écologique pour une gestion rationnelle de l'eau dans le cadre européen. Ce qui se traduit par une majoration des coûts de l'eau agricole, comme par la limitation de l'usage des engrais et des pesticides.

Mais la mise en œuvre de cette politique se heurte dans de nombreux pays à la résistance politique de la plupart des populations rurales, qui accusent les mouvements écologistes d'ingérences insupportables. Tout cela s'accompagne évidemment de majorations sensibles des tarifs de l'eau. Ces augmentations, et leurs grandes inégalités selon les villes et les régions, suscitent de vives controverses, notamment lors des campagnes électorales : les municipalités, et plus précisément les maires, sont souvent mis en cause par des citoyens et des mouvements écologistes à propos de la qualité et, surtout, du prix de l'eau qui est pratiqué dans la commune.

Bouteilles d'eau minérale. Les habitants des pays industrialisés tendent à préférer les eaux minérales plutôt que les eaux dites « de distribution » dont le goût est parfois trop prononcé.

L'agriculture, une des premières activités organisées de l'homme, est une grande dévoreuse d'eau. Aussi, la nécessité de maîtriser l'eau a serré les hommes autour d'un même objectif : organiser en commun l'espace agricole. De grandes civilisations ont ainsi vu le jour, comme celles qui se sont épanouies dans l'Asie des moussons, ou dans les zones plus arides du Moyen-Orient et de l'Asie centrale. Si les sociétés hydrauliques se caractérisent par la domestication des eaux de pluie et des fleuves, la civilisation agricole européenne – et nord-américaine – s'est plutôt développée en maîtrisant les ressources hydriques des sols.

Rizière en terrasses à Java

L'eau dans les grandes civilisations agricoles

L'eau dans les grandes civilisations agricoles

L'eau représente pour les hommes, surtout s'ils sont agriculteurs, la ressource primordiale. Mais ils en font un usage très différent, selon les pays, ou plus exactement selon les grandes civilisations, chacune d'entre elles s'étendant sur un plus ou moins grand nombre de pays.

Ces civilisations très différentes, notamment quant à leur utilisation de l'eau, remontent à plusieurs milliers d'années. Pour autant, leur influence demeure considérable aujourd'hui dans les formes d'organisation de l'espace agricole qu'elles ont réalisées. Elles entretiennent des rapports avec l'eau très variés, que l'on ne saurait réduire à une opposition entre régions arides et régions bien arrosées. Il s'agit surtout de différences entre des civilisations ancestrales.

Paysage de rizière à Bali. Dans cette île, où la densité de population est forte, la rizière irriguée est la règle, donnant deux récoltes par an.

Démarrage des travaux d'irrigation du désert en Libye. Le projet dit « grand tube », lancé en 1984, doit permettre d'irriguer quelque 135 000 hectares avec 6 millions de mètres cubes d'eau.

Quatre grandes civilisations agricoles

On peut distinguer quatre grandes civilisations agricoles, essentiellement en fonction de leurs rapports géographiques avec l'eau. La plus importante quant aux effectifs qu'elle englobe – environ deux milliards et demi de paysans – s'étend de l'Inde à la Corée, en passant par la Chine et l'Asie du Sud-Est, c'est-à-dire l'Asie des moussons.

• *L'Asie des moussons.* En termes de géohistoire, c'est l'ensemble des civilisations que certains historiens ont appelé les « sociétés hydrauliques », en raison paradoxalement de leurs rapports conflictuels avec des eaux dont la surabondance représente un danger considérable. Il s'agit de sociétés pour lesquelles la « maîtrise de l'eau » est une tâche primordiale. Elles doivent construire et entretenir les digues qui empêchent le débordement des fleuves, ou creuser et curer des canaux permettant l'évacuation des eaux de pluie qui risquent de noyer les rizières.

• *Les civilisations de l'irrigation.* Ce deuxième ensemble, qu'il ne faut pas confondre avec le précédent, concerne des pays plus ou moins arides (Moyen-Orient, Asie centrale, Méditerranée). Les espaces irrigués sont relativement restreints (oasis, vallées étroites), mais ils sont surpeuplés, et le total de leur population peut être évalué à 400 millions d'habitants (Égypte, Pakistan, Iran). Le grand problème auquel ces civilisations sont confrontées renvoie aux rapports entre la croissance démographique, encore forte, et l'insuffisance des ressources en eau.

• *L'Afrique tropicale.* Le troisième ensemble de civilisations est donc celui de l'Afrique tropicale avec environ 500 millions de paysans. En dépit de la dure sécheresse qui sévit une grande partie de l'année, les populations rurales ne se sont pas implantées le long des cours d'eau ; elles pratiquent des cultures « sous pluie » sur des terroirs dont l'aménagement, en dépit de leur ancienneté, reste des plus sommaires. Les effets de la forte croissance démographique sont catastrophiques, sur des sols rendus pauvres et fragiles par l'alternance de saisons aux pluies surabondantes et de longues périodes d'intense évaporation.

• *Europe et Amériques.* La quatrième grande civilisation agricole est celle qui s'étend sur les territoires les plus considérables, c'est-à-dire l'ensemble des pays européens et la plus grande partie des deux Amériques. Ces vastes espaces sont le domaine de mosaïques plus ou moins serrées de champs labourés et de prairies. Pour cette civilisation agricole, les rapports avec l'eau passent par les sols qui «stockent» une quantité variable d'humidité : la nappe phréatique (qu'atteignent les puits traditionnels) se trouve à une profondeur qui varie selon la perméabilité des terrains, le volume des précipitations annuelles et l'importance de l'évaporation.

Cultures du riz aux États-Unis. Le nivellement aussi plat que possible recherché ici permet d'utiliser le moins d'eau possible.

Les problèmes de l'eau dans les sociétés hydrauliques

Alors que les médias se font le plus souvent l'écho de sécheresses dans certaines parties du monde ou de craintes d'une pénurie d'eau au plan mondial, plus de deux milliards de paysans sont, au contraire, chaque année, dans la hantise de la submersion désastreuse de leurs villages, et surtout de l'ennoiement insidieux de leurs rizières. Ces masses paysannes vivent en effet dans des conditions géographiques très particulières : elles sont installées en contrebas de cours d'eau qui coulent *au-dessus* du niveau du fond de leur vallée, de la plaine alluviale ou du delta. Ces fleuves qui descendent pour la plupart de montagnes très attaquées par l'érosion, sont tellement chargés d'alluvions que celles-ci se déposent au fond du lit fluvial, qui de ce fait s'exhausse peu à peu au-dessus du niveau des étendues avoisinantes. Les fleuves coulent donc sur des sortes de remblais, des levées naturelles qui peuvent atteindre 15 à 20 mètres de hauteur.

Au moment des énormes pluies d'été qu'apporte la mousson, les crues des fleuves sont considérables et leur tendance naturelle est de se déverser sur la plaine en contrebas. Le formidable peuplement des plaines de l'Asie des moussons, soumises à la menace de crues terribles, n'a pu se faire que sous la protection de ces digues qu'au cours des siècles de puissants appareils d'État ont fait construire par les paysans. Et il faut sans cesse veiller à entretenir ces digues et à les surélever au fur et à mesure que les alluvions s'entassent dans les lits fluviaux. L'entretien des digues n'est qu'un des problèmes que la surabondance de l'eau pose constamment aux paysanneries asiatiques. La civilisation qu'elles ont élaborée depuis les débuts de leur histoire se traduit dans un paysage très particulier, celui des rizières.

Les digues : dernier rempart contre les crues

Le peuplement des plaines de l'Asie des moussons est peu à peu devenu extrêmement dense (plus de 600 hab./km² et parfois plus de 1 000) grâce à la construction, au cours des siècles, de toute une série de grandes digues en terre le long des deux rives de chaque fleuve. Ces digues sont destinées à empêcher qu'il ne se déverse en contrebas, un danger d'autant plus grand que les cours d'eau décrivent souvent des méandres et que la pression du courant est particulièrement forte sur les digues qui surmontent la rive concave. Il arrive qu'une digue mal entretenue cède sous la pression d'une crue particulièrement puissante et provoque une catastrophe pour les villages voisins.

Chine, août 1998. La crue du Yangzi Jiang aura eu des répercussions catastrophiques pour les habitants de la région de Wuhan.

🗺 **Rizière en terrasses à Java.** Les terrasses irriguées, façonnées grâce à un travail intense, prolongent la culture du riz sur les pentes bordant les plaines.

Qu'est-ce qu'une rizière ? C'est un champ labouré très soigneusement aplani, complètement entouré d'une diguette en terre qui a pour rôle de retenir une certaine « épaisseur » d'eau. La rizière est un champ en eau : il ne s'agit pas dans la plupart des cas de culture irriguée (contrairement à une opinion fort répandue), car le plus souvent c'est l'eau de pluie tombée dans la rizière qui couvre la base des plants de riz. Sauf dans les cultures de saison sèche, l'eau de la rizière n'est pas amenée par un canal d'irrigation. En revanche, chaque rizière est raccordée à un canal d'évacuation, car, au moment des énormes pluies de mousson, une cinquantaine de centimètres (et parfois plus) peuvent tomber en quelques jours par mètre carré : pour éviter que les plants de riz ne soient noyés et perdus (une grande partie des feuilles doit restée émergée), il est absolument indispensable d'évacuer au plus vite cette couche d'eau. Or cela n'est pas une petite affaire, puisque les fleuves coulent au-dessus du niveau

Rizière inondée en Chine. Chaque année, les terres sont planées et préparées, les diguettes et les canaux vérifiés et remis en état et les plantes repiquées dans l'eau.

de la plaine. Le petit canal d'évacuation de chaque rizière doit donc être raccordé à un canal plus important, qui lui-même rejoint un grand collecteur de plusieurs dizaines ou centaines de kilomètres de longueur pour finalement atteindre la mer. On comprend pourquoi les sociétés qui ont été capables d'élaborer et d'entretenir des ouvrages aussi vastes et aussi complexes (ces réseaux de grandes digues et de canaux) peuvent être qualifiées de sociétés hydrauliques, ou plus exactement «hydrauliciennes», puisqu'elles réalisent des travaux hydrauliques.

Les problèmes de l'eau dans les civilisations de l'irrigation

Si, en France, les problèmes des sociétés hydrauliciennes sont assez peu connus, en revanche on se fait couramment une idée des problèmes de l'irrigation dans les régions plus ou moins arides, qu'il s'agisse de rivages de la Méditerranée, des pays du Moyen-Orient ou de l'Asie centrale. On réduit trop souvent le problème de l'eau à l'image des puits qui alimentent la petite oasis perdue au milieu du désert. C'est un cliché fort célèbre. En vérité, l'essentiel des populations vivant de l'agriculture irriguée se trouvent dans des vallées de cours d'eau qui descendent de montagnes suffisamment hautes pour recevoir des précipitations relativement abondantes. C'est le cas des grandes oasis fluviales qui se disposent parallèlement les unes aux autres sur les piémonts des énormes chaînes d'Asie centrale. C'est aussi le cas de la vallée de l'Indus, dont les eaux venues de l'Himalaya traversent les déserts du Pakistan. Le cas le plus célèbre est celui du Nil, dont les eaux ne viennent pas de hautes montagnes, mais des lointaines régions très arrosées situées sous l'équateur.

Culture du maïs en Égypte. Les riches alluvions du Nil permettent une culture inondée qui ne nécessite pas de gros travaux.

C'est sur les berges de ces cours d'eau descendant vers des régions arides du Moyen-Orient que l'agriculture est sans doute apparue il y a peut-être 15 000 ans : des graines ramassées lors de cueillette s'étant trouvées stockées (au lieu d'être immédiatement grignotées), puis semées sur un sol rendu humide par la crue, donnent chacune naissance à un épi qui lui-même donne plusieurs graines. Durant des siècles, les techniques de l'irrigation ont été assez rudimentaires. On se contentait de cultiver les terres que venaient chaque année inonder les crues des cours d'eau ; crues d'été, pour la plupart dues à la fonte des glaciers en altitude, et dans le cas du Nil à l'arrivée des eaux tombées en été sous l'équateur. Au mieux, on creusait quelques canaux pour étaler la crue sur des terrains que l'on avait un peu aplanis. L'Égypte d'autrefois, avec la persistance de traditions pharaoniques, ne me paraît pas être une société hydraulicienne, car la submersion progressive et naturelle de la vallée par la crue du Nil n'était pas accompagnée par de grands travaux d'endiguement ou de canalisation.

C'est seulement dans la première partie du XIXe siècle qu'ont débuté en Égypte des travaux de grande envergure permettant de stocker une partie des eaux du fleuve afin d'allonger la période d'irrigation – ce qui permit de faire deux récoltes par an – grâce aux premiers barrages construits sur ordre du souverain Méhémet-Ali : il voulait ajouter aux cultures vivrières celle du coton afin de disposer de nouveaux moyens financiers pour commencer à moderniser son pays. Ce sera aussi l'objectif des Russes en Asie centrale et des Anglais dans la plaine de l'Indus, lorsqu'ils firent creuser de grands canaux pour étaler les crues des fleuves.

Au XXe siècle, le déclenchement de la croissance démographique a provoqué une très forte densification du peuplement des oasis, qui étaient déjà surpeuplées.

Méhémet-Ali, vice-roi d'Égypte de 1805 à 1848, étendit de façon considérable le réseau des canaux d'irrigation.

Raya Island, sur le cours de l'Euphrate. Ce fleuve, qui naît en Arménie turque, traverse la Syrie et se réunit au Tigre, en Irak, est le berceau de la civilisation mésopotamienne.

Le cas le plus célèbre est celui de la vallée du Nil. L'Égypte, qui comptait moins de 10 millions d'habitants en 1900, a vu passer sa population à 25 millions en 1960 et à 65 millions aujourd'hui, tous entassés, pour l'essentiel, dans l'étroite et

profonde vallée du Nil. La construction du grand barrage d'Assouan (dont la mise en eau débute en 1970) a permis la création d'une surface de retenue de 60 000 km^2 que constitue le lac Nasser, long de 400 km. Grâce au barrage d'Assouan, il était possible d'intensifier les cultures et d'alimenter les villes.

À son exemple, d'autres grands barrages ont été construits, notamment dans les montagnes de Turquie, sur les hautes vallées de l'Euphrate et du Tigre, etc. Ce qui ne va pas sans entraîner de graves problèmes géopolitiques, comme ceux que nous avons déjà évoqués entre la Turquie, la Syrie et l'Irak.

Le Tigre à Bagdad. Ce fleuve, qui marque la frontière entre la Turquie et la Syrie avant d'entrer en Irak, sert à l'irrigation de 1 Mha.

L'eau dans les grandes civilisations agricoles **61**

Par ailleurs, les grands barrages suscitent les critiques des écologistes, qui accusent ces grands ouvrages de «bouleverser la nature». Mais on ne voit pas comment, dans ces vallées arides et déjà surpeuplées, on pourrait faire face, sans les barrages, à l'énorme accroissement des effectifs de population. Cependant, le fait de disposer de davantage d'eau pour intensifier l'irrigation n'est pas une panacée. En effet, dans les régions arides, les sols qui reçoivent trop d'eau présentent bientôt, du fait de la forte évaporation, les symptômes de la salinisation (car il y a des nappes d'eau salées en profondeur), qui, à terme, risque d'aboutir à la stérilisation des terres cultivées.

Pour éviter la salinisation des sols

Pour protéger les sols de la menace d'une éventuelle salinisation, il faut employer l'eau avec discernement, en petites quantités, à certaines heures de la nuit, compte tenu des rythmes biologiques des plantes. La solution la plus sage, mais la plus délicate et la plus onéreuse, est celle de l'aspersion. Quoi qu'il en soit, les paysans ont l'habitude d'utiliser dans leurs champs le plus d'eau disponible dans le canal d'irrigation. Par respect des traditions, les gouvernements n'osent pas faire payer l'eau, une attitude qui entraîne son relatif gaspillage, y compris dans les villes.

L'ignorance des techniques de l'eau dans les pays d'Afrique tropicale

Les techniques les plus simples de l'irrigation sont ignorées (à quelques exceptions près) dans la plupart des pays de l'Afrique tropicale. La rizière et, a fortiori, les techniques beaucoup plus complexes de la riziculture intensive paraissent impensables.

La civilisation agricole africaine repose depuis des millénaires sur la technique de l'agriculture sur brûlis. Mais cette très sage méthode de culture ancestrale ne peut plus être pratiquée dès lors que les terroirs villageois – du fait de la croissance démographique – cessent d'être très faiblement peuplés. Privés de leur couverture végétale et soumis durant la saison des pluies à d'énormes averses, les sols sont alors exposés à une érosion dont les conséquences sont extrêmement graves. En effet, les sols tropicaux, tout particulièrement ceux d'Afrique, présentent, sous une mince couche de surface relativement meuble, une épaisse « cuirasse » de plusieurs dizaines de centimètres d'épaisseur. Celle-ci résulte du circuit de l'eau sous des températures particulièrement fortes. À la saison des pluies, l'eau pénètre profondément et

La culture sur brûlis

Les villageois mettent le feu sur le terroir de leur village à une étendue de brousse ou de forêt (après avoir fait des abattis), plantent ensuite sur la couche de cendres ; après un an ou deux, ils abandonnent cette clairière défrichée où les sols commencent à s'épuiser, pour en ouvrir une autre par le même procédé du brûlis et ainsi de suite. Cette méthode de culture, qui permet à la végétation de se reconstituer pour de futurs brûlis et d'éviter ainsi une trop grave érosion des sols, équivaut à opérer de très longues jachères, entre 15 à 20 ans.

opère dans les terrains du sous-sol une dissolution (les pédologues disent un «lessivage») de substances chimiques. Mais, à la saison sèche, celles-ci, sous l'effet d'une intense évaporation, remontent vers la surface et se coagulent de façon irréversible : c'est ce qui forme ces fameuses «cuirasses» qui sont la caractéristique majeure des sols latéritiques tropicaux (on parle aussi de «latérites»). Le décapage sous l'effet de l'érosion de la mince couche meuble qui recouvre ces cuirasses est d'autant plus catastrophique que celles-ci sont absolument stériles. Sous l'effet des pluies et de l'évaporation, les sols latéritiques sont tout à la fois pauvres et fragiles. De plus, ils représentent un très grave handicap naturel pour le développement agricole de l'Afrique, car ils y couvrent des étendues considérables.

On comprend mieux l'énorme atout des civilisations hydrauliques de l'Asie, qui, en s'installant non sans peine (grâce à la construction des digues) dans les vallées des grands fleuves, disposent de sols alluviaux relativement riches, échappant ainsi aux formes les plus graves de l'érosion. Ces sols des vallées et deltas asiatiques ont pu supporter, sans s'épuiser jusqu'à présent, de très forts peuplements pratiquant des méthodes de culture extrêmement intensives. En revanche, le maigre capital pédologique des pays africains est en train de disparaître de façon irrémédiable au fur et à mesure que la croissance démographique étend les défrichements sur les étendues de sols latéritiques.

Culture sur brûlis en Afrique. La pression démographique en Afrique a entraîné la mise en culture de ce type sur de nouveaux espaces, provoquant un appauvrissement souvent irréversible des sols.

Sols ravinés au Burkina Faso. Le ruissellement des abondantes pluies tropicales provoque un fort ravinement qui rend la terre impropre à la culture.

Il existe pourtant des vallées alluviales en Afrique tropicale. Aussi faut-il se demander pourquoi elles sont restées plus ou moins inhabitées. Elles sont d'abord très insalubres, mais on peut objecter qu'il s'agirait d'une conséquence de leur non-mise en valeur. La destruction des forêts qui couvrent le fond de ces vallées aurait sans doute transformé le milieu écologique où prolifèrent les insectes vecteurs de graves maladies, comme la trypanosomiase («maladie du sommeil») et l'onchocercose. Une des raisons de l'absence de mise en valeur de ces vallées est qu'elles sont inondées et inutilisables à la saison des pluies, laquelle correspond à la période où commencent les grands travaux agricoles.

La civilisation agricole européenne et les problèmes d'eau

Une des caractéristiques majeures de la civilisation agricole européenne et par extension nord-américaine me paraît être que ses rapports avec l'eau passent principalement par les ressources hydriques des sols. Le puits qui atteint l'eau de la nappe phréatique est une des caractéristiques des campagnes européennes. Les techniques de l'irrigation sont traditionnellement assez ignorées, sauf dans les régions de climat méditerranéen, où la sécheresse et les hautes températures de l'été provoquent une forte évaporation.

Pour ce qui est des problèmes de l'eau, un des phénomènes les plus intéressants est l'extension actuelle de l'irrigation, et surtout de l'arrosage, dans nombre de pays européens. Cela est à mettre en rapport avec le développement de la production de fruits et de légumes, c'est-à-dire de productions agricoles de grande valeur. Cette méthode traduit l'amélioration des niveaux de vie et implique la mise au point de tout un système de transport, de production et de commercialisation efficace. La diffusion d'un puissant matériel d'arrosage (avec d'immenses rampes mobiles) fait que, même dans des régions sans forte sécheresse d'été, on en est venu à arroser de grands champs de blé et de maïs, en puisant dans les nappes du sous-sol. En tenant compte de la consommation croissante de l'eau dans les grandes villes, il en résulte que les pays européens (surtout ceux d'Europe occidentale) et les États-Unis connaissent une demande de plus en plus grande d'eau douce.

Il importe enfin de souligner qu'en Europe et en Amérique les agriculteurs ne forment plus aujourd'hui qu'une portion plus ou moins réduite de la population et que leur nombre continuera sans doute de diminuer. Dans ces pays, les problèmes de l'eau agricole sont devenus secondaires en regard des problèmes de l'alimentation en eau des villes. Il existe cependant une étroite relation entre ces deux catégories de problèmes. La réduction du nombre de cultivateurs a été rendue possible par l'accroissement de leur productivité et, surtout, par l'augmentation considérable du rendement des cultures. Mais cela résulte, pour une grande part, de l'utilisation massive des engrais, notamment des nitrates, qui s'infiltrent dans le sol vers les nappes aquifères. Comme c'est dans celles-ci que l'on pompe une partie de l'eau destinée à la consommation urbaine, il faudrait donc réduire l'utilisation des engrais pour répondre aux souhaits des consommateurs urbains, qui exigent de l'eau de plus en plus pure.

Arrosage automatique d'un champ de maïs en France. L'agriculture en France représente 42 % de la consommation nette en eau.

Cultures irriguées de Californie

Cultures irriguées Arkansas

Phoenix

Oasis du fleuve Colorado en Arizona

Maroc

Algérie

Fe

Une disposition particulière

Les oasis sont généralement réparties en chapelet le long des vallées asséchées des déserts ou en couronne sur le rebord montagneux des dépressions désertiques, comme c'est le cas pour les oasis égyptiennes du désert occidental.

Cultures irriguées au pied des Andes

Californie : 20 % des terres agricoles irriguées

La Vallée centrale et la Vallée impériale sont les deux grandes régions agricoles de la Californie. Toutefois, la culture n'y est possible que grâce à l'irrigation dans le sud de la Vallée centrale – eau du Sacramento transférée par un canal et eau de la Sierra – et dans la Vallée impériale – eau du Colorado. Au total, 3 Mha, soit 20 % des terres en culture, sont irrigués. Les régions irriguées permettent souvent de faire plusieurs récoltes par an.

Des cultures de sédentaires

Le nom grécisé d'« oasis », appliqué d'abord par les Égyptiens, puis par Hérodote, aux masses de verdures perdues dans le désert Libyque à l'ouest du Nil, n'est pas seulement donné, aujourd'hui, à ces îlots d'arbres et de cultures qui doivent leur existence à l'émergence locale de nappes aquifères profondes, mais il est appliqué à tous les points de la planète où existent, au milieu des déserts, des cultures de sédentaires.

  Oasis moderne

Oasis traditionnelle

Zone aride et désertique

Région à climat de mousson

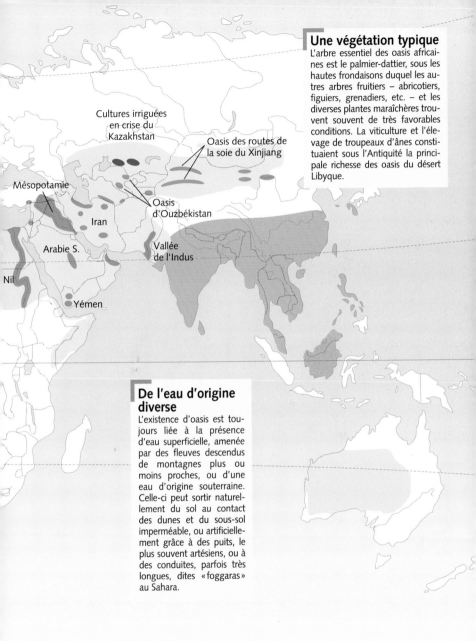

Une végétation typique

L'arbre essentiel des oasis africaines est le palmier-dattier, sous les hautes frondaisons duquel les autres arbres fruitiers – abricotiers, figuiers, grenadiers, etc. – et les diverses plantes maraîchères trouvent souvent de très favorables conditions. La viticulture et l'élevage de troupeaux d'ânes constituaient sous l'Antiquité la principale richesse des oasis du désert Libyque.

Cultures irriguées en crise du Kazakhstan

Oasis des routes de la soie du Xinjiang

Mésopotamie

Iran

Oasis d'Ouzbékistan

Arabie S.

Vallée de l'Indus

Nil

Yémen

De l'eau d'origine diverse

L'existence d'oasis est toujours liée à la présence d'eau superficielle, amenée par des fleuves descendus de montagnes plus ou moins proches, ou d'une eau d'origine souterraine. Celle-ci peut sortir naturellement du sol au contact des dunes et du sous-sol imperméable, ou artificiellement grâce à des puits, le plus souvent artésiens, ou à des conduites, parfois très longues, dites «foggaras» au Sahara.

Région sans société hydraulicienne

Pour l'immense majorité des habitants des pays développés, tourner le robinet pour obtenir de l'eau à l'évier est un geste quotidien, banal. Pourtant, jusqu'au début du XIXᵉ siècle, on devait se contenter en Europe occidentale d'une eau non potable, dont la distribution était tributaire de porteurs d'eau aux tarifs souvent prohibitifs. Les travaux entrepris dans les villes – égouts, canalisations – dans le dernier tiers du XIXᵉ siècle pour juguler les grandes épidémies ont ouvert la voie, plus particulièrement en Angleterre et en France, à la révolution hydraulique. Aujourd'hui, le marché de l'eau est aux mains de très grosses entreprises – françaises, notamment – présentes dans le monde entier. L'enjeu est à la hauteur d'un marché mondial estimé à 1 000 milliards de dollars.

L'Orangerie et le château de Versailles

L'eau des villes

L'eau
des villes

> *Si la plupart des habitants des régions rurales utilisent pour*
> *leurs besoins de l'eau qu'ils ne paient pas, parce qu'ils la tirent*
> *eux-mêmes de puits, de petits cours d'eau ou de citernes,*
> *en revanche dans les villes il faut payer l'eau.*

Le paiement de l'eau s'impose en effet dans les quartiers où il n'y a pas « l'eau courante », chaque famille achetant un peu d'eau, mais au prix fort, au jour le jour à des porteurs d'eau ou à ceux qui contrôlent en fait de rares fontaines publiques (c'est le cas dans la plupart des pays du tiers-monde). Le paiement est de mise également dans les villes où il y a « l'eau courante », chaque ménage payant périodiquement sa consommation d'eau telle qu'elle a été enregistrée par un compteur individuel au service municipal ou à la compagnie privée qui a été chargée de la distribution de l'eau par la municipalité. En France et dans certains pays d'Europe occidentale, la distribution d'eau courante a été installée dans une grande partie des régions rurales.

40 % du marché mondial privatisé de l'eau

Vivendi Environnement, la Lyonnaise des eaux et la SAUR contrôlent 40 % du marché mondial privatisé de l'eau. Leur poids respectif sur ce marché mondial correspond approximativement à leurs parts respectives sur le marché français : 36,5 % pour Vivendi, 22 % pour la Lyonnaise et 16,5 % pour la SAUR. Ces groupes sont évidemment concurrents, mais cela ne les empêche pas de coopérer, notamment à l'étranger pour répondre aux demandes de grandes municipalités, par exemple celles de Mexico et de Buenos Aires. Un consortium Vivendi-Lyonnaise a été constitué en 1993 pour la gestion de l'eau dans ces deux très grandes agglomérations. Même chose pour Karachi. Les trois groupes sont associés pour la gestion de l'eau à Caracas. Mais ils opèrent aussi séparément, comme la Lyonnaise à Manille et à Casablanca.

Un marché considérable

Les économistes évaluent à 1 000 milliards de dollars – ce qui est considérable – le marché mondial de l'eau ainsi distribuée de façon payante aux particuliers, aux entreprises et aux services publics. Ce marché, qui est en augmentation rapide en raison de la croissance des populations urbaines et des progrès des travaux d'adduction d'eau, est extrêmement dispersé d'un point de vue géographique. En effet, il y a un très grand nombre de villes et, dans la plupart des cas, lorsqu'il y a un réseau de distribution d'eau potable, celui-ci a été réalisé aux frais de la municipalité qui en assure l'entretien et la gestion. Ainsi aux États-Unis, le marché de l'eau, de l'ordre de 40 milliards de dollars, est réparti entre 60 000 compagnies, qui sont à 89 % des compagnies municipales – celles-ci desservant 237 millions d'habitants.

🖼 **Porteur d'eau à Montmartre, vers 1910.** Au début du siècle, l'eau « courante » est loin d'être une réalité à Paris.

Il en est tout autrement en France, où la distribution de l'eau potable est effectuée à 75 % par des compagnies privées qui ont passé des contrats avec les municipalités. De surcroît, il ne s'agit pas d'un grand nombre de petites sociétés privées, mais de trois grands groupes, dont l'activité s'étend de plus en plus sur le plan mondial, soit en passant des contrats dans de nombreux pays dont les municipalités ne parviennent pas à gérer convenablement leur réseau de distribution d'eau potable ni à répondre à des besoins croissants, soit en rachetant des compagnies privées. Phénomène très singulier, le marché mondial de l'eau est dominé par trois groupes français de traitement et de distribution de l'eau. Ces trois groupes sont la Générale des eaux (dénommée depuis quelques années Vivendi Environnement), la Lyonnaise des eaux (dénommée récemment Ondéo) et la SAUR (Société d'aménagement urbain et rural). Leur rôle tend à s'accroître, car, en raison de leur spécialisation et de leur taille de plus en plus importante, ils ont acquis une compétence technique et un savoir-faire qui leur permet de réaliser efficacement des réseaux de distribution d'eau dans des grandes agglomérations, où les services municipaux n'avaient pas pu faire face aux difficultés et à la montée des besoins. Toujours dans le domaine de la distribution de l'eau, mais aussi du traitement des eaux usées et des déchets, ces groupes rachètent également de nombreuses compagnies privées américaines, anglaises, allemandes, italiennes, etc.

La «révolution hydraulique» dans le tiers-monde

Ces grands groupes, qui opèrent en partenariat avec les municipalités et les entreprises locales, ont fait leurs preuves, et l'on fait de plus en plus appel à eux pour atténuer la gravité des problèmes d'eau dans les grandes villes des pays du tiers-monde.

Il est intéressant, à cet égard, de prendre l'exemple d'une grande ville comme Shanghai (16 millions d'habitants, plus 3 millions de travailleurs migrants), dont la municipalité veut, de façon très volontariste, améliorer le système de distribution d'eau. Pourtant, la capitale économique de la Chine ne manque pas de ressources, ignorant la sécheresse qui frappe Pékin ou Canton, et bénéficiant de l'irrigation de plus de 30 000 km de rivières. Mais, à l'instar de 30 des 32 villes chinoises de plus d'un million d'habitants, Shanghai souffre désormais d'un manque chronique en eau potable :

Shanghai, quartier des affaires de Pudong.
Plus de 300 des 600 grandes villes de Chine souffrent d'un déficit en eau potable.

Une fontaine à Calcutta. Le transport de l'eau dans les grandes villes des pays intermédiaires représente souvent un problème.

85,6 % de l'eau distribuée aux habitants n'est pas buvable.
Ce qui a poussé les autorités locales à programmer en 2002 des dépenses de près de 6 milliards d'euros en trois ans et à se poser comme pionnières dans le combat contre la pollution des eaux. Depuis le début des années 1990, la ville a connu un formidable développement, qui a conduit les autorités locales à investir durant la période 50 milliards d'euros d'infrastructures nouvelles.

Parmi tous ces grands projets, le domaine de l'eau n'a pas été négligé ; il y a eu ainsi le nettoyage de la rivière Suzhou, un affluent du Huangpu. Alors que les enfants s'y baignaient encore dans les années 1970, la rivière était devenue un véritable cloaque au cours de la décennie suivante. Mais les travaux sont encore loin d'être achevés : il reste encore à nettoyer les 53 km de berges, à éloigner les entreprises polluantes et à convaincre les agriculteurs de la région – notamment les maraîchers – de ne plus déverser les pesticides dans la rivière.

De tels projets n'ont pas seulement des incidences financières pour les autorités, les forçant à opérer des arbitrages difficiles : ils impliquent des changements de mentalité, tant dans le rapport des citoyens à la puissance publique que dans les modes de gestion de celle-ci. Depuis la fin des années 1940 et l'instauration du communisme, les Chinois – du moins ceux des villes – étaient habitués au système dit du « bol de fer », dans lequel l'État et l'entreprise publique garantissaient au travailleur, outre un emploi à vie et la gratuité de la santé comme de l'éducation, un tarif de l'énergie et de l'eau extrêmement bas. Dorénavant, ils vont devoir, et les habitants de Shanghai en particulier, se résigner à payer un yuan (0,9 euro) le mètre

Inde, État du Rajasthan. Ce pipeline, qui part du lac Jaisamund, alimente en eau les habitants d'Udaipur.

cube d'eau (contre 1 euro à Hongkong ou 2,23 euros à Paris). Par ailleurs, et l'on retrouve les grandes entreprises mondiales du secteur, les autorités recourent au marché pour gérer en partie leur système d'exploitation de l'eau. Ainsi, Shanghai a concédé pour 50 ans à l'entreprise française Vivendi Environnement la gestion totale de l'eau, du traitement jusqu'à l'acheminement au consommateur, sur un territoire de plus de 500 km².

Certes, le fait de recourir à ces grandes entreprises capitalistes suscite des protestations parmi ceux qui voudraient que l'eau, ce bien vital, soit distribuée gratuitement à tous, et d'abord aux plus démunis. On dénonce la « marchandisation » de l'eau et le fait qu'on la fasse payer dans les quartiers où sont établis des réseaux de distribution d'eau courante, ce qui nécessite de gros investissements. Mais on passe généralement sous silence le fait que l'eau potable ainsi distribuée de façon organisée et sous contrôle des municipalités revient le plus souvent quatre ou cinq fois moins chère que celle qu'il fallait acheter au jour le jour aux porteurs d'eau et aux mafias qui les contrôlaient clandestinement.

Le traitement inégal des eaux usées

Si le traitement des eaux usées est largement pratiqué dans les pays industrialisés (de près de 100 % aux Pays-Bas à 50 % au Japon), ce n'est pas le cas dans les pays en voie de développement, pour des raisons de coûts mais aussi de convictions. 95 % des eaux usées étant destinées à l'agriculture, on considère, dans ces pays, que les eaux souillées permettent d'économiser sur l'achat d'engrais, l'azote et le phosphore qu'elles contiennent étant jugés fertilisants. Pourtant, l'emploi de ces eaux comporte des risques pour la santé (typhoïde, bilharziose ou diarrhées infantiles).

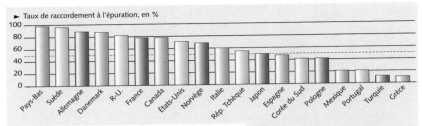

La combinaison des compétences techniques des grands groupes de l'eau et du rôle des municipalités, qui peuvent, en cas d'abus, faire résilier les contrats, est sans doute un des moyens de réaliser en quelques décennies la «révolution hydraulique» dans les villes du tiers-monde en dépit de leur très forte croissance démographique. Comme ces grands groupes de l'eau sont français, et qu'ils constituent une relative exception sur le plan mondial, il importe de comprendre ce qui a favorisé leur formation et leur développement.

Le palmarès de la dépollution.
Les Pays-Bas figurent à la 1re place.

La gestion de l'eau «à la française»

Il faut tout d'abord rappeler que, au début du XIXe siècle, de très graves épidémies de choléra se produisirent en Europe ; celle de 1823 y fit plus d'un million de morts. À Londres et à Paris, elles furent particulièrement graves et touchèrent les quartiers riches comme les quartiers pauvres. On ignorait alors comment se propageaient les maladies, car les découvertes de Louis Pasteur sur les microbes et leur propagation datent de la fin du XIXe siècle. Mais on s'aperçut empiriquement que le choléra ne se manifestait guère aux abords de sources d'eau pure ; au contraire, les malades et les morts étaient plus nombreux dans les quartiers où l'eau que l'on buvait avait été puisée dans des cours d'eau qui, comme la Seine ou la Tamise, servaient alors d'égouts aux villes. Pour lutter contre l'épidémie, il fallait fournir de l'eau relativement propre. Les pouvoirs publics chargèrent ainsi les municipalités de ces nouvelles fonctions.

Salle de bains dans un immeuble parisien cossu, fin du XIXe siècle.

Caricature du baron Haussmann, auquel Paris doit son réseau de distribution d'eau et ses égouts.

En France, la loi de 1828 confia à la commune la charge de pourvoir aux besoins en eau de ses habitants. Ce sont évidemment les communes urbaines les plus importantes qui remplirent d'abord cette tâche nouvelle et, dans la plupart des cas, celle-ci fut assurée par une régie municipale. Dans la quasi-totalité des pays, la gestion de l'eau est territorialisée, c'est-à-dire que, dans le cadre du territoire de chaque collectivité territoriale (commune ou district), la distribution de l'eau, la surveillance de sa qualité, la construction et l'entretien des canalisations et du matériel de pompage sont effectués en régie, par une entreprise publique dépendant de la municipalité.

Il se trouve qu'en France, à la différence de nombreux pays, un grand nombre de communes, tout en restant chacune propriétaire des équipements hydrauliques, ont passé depuis plus ou moins longtemps des contrats de longue durée avec des entreprises privées qui se chargent des opérations de plus en plus complexes que nécessite la distribution de l'eau potable. Alors que, en France, le rôle de l'État et des entreprises nationalisées est devenu très important dans de nombreux secteurs économiques essentiels (électricité, gaz, chemin de fer), il est en revanche très réduit dans le domaine de l'eau.

Les pouvoirs publics et les débuts de la révolution hydraulique

Pour mieux comprendre les origines de cette tradition de la gestion de l'eau « à la française », et les raisons du développement des grandes compagnies qui sont devenues leaders sur le plan mondial pour la distribution de l'eau, il est utile de montrer comment a commencé la « révolution hydraulique » en France au XIXᵉ siècle, et notamment à Paris. Dans cette lutte pour l'eau courante et les égouts, le rôle de l'État a d'abord été très important.

Au XIXᵉ siècle, dans le contexte politique qui était toujours plus ou moins tendu dans une grande ville comme Paris, les dirigeants de l'État craignent l'apparition d'épidémies. Sans en connaître encore clairement les causes, on en rend les

La rue de Lyon sous les eaux, Paris, 1910. La montée des eaux de la Seine provoqua l'inondation des quartiers les plus bas de la capitale.

autorités plus ou moins responsables. C'est sous le règne de Napoléon III que sont réalisés les travaux hydrauliques décisifs, sous la direction du baron Haussmann.

L'origine des compagnies de distribution d'eau

C'est dans le contexte de ces grands travaux réalisés par l'État qu'est apparue la Compagnie générale des eaux, créée par décret impérial en 1853. Les capitalistes privés ont compris que la distribution de l'eau allait permettre de fructueux profits. Il faut aussi tenir compte de l'esprit de progrès du mouvement des saint-simoniens. Ceux-ci furent les promoteurs des chemins de fer et du creusement du canal de Suez, ainsi que des adductions d'eau dans les villes. La Compagnie générale des eaux avait commencé par installer des canalisations d'eau dans des villes de province, à Nantes, à Lyon, et dans des communes aisées en aval de Paris (Passy, Auteuil, etc.).

Une étape décisive du développement de la Générale des eaux est liée à la décision du préfet Haussmann (et de Napoléon III) d'étendre la ville de Paris en 1860 jusqu'au cercle des fortifications, ce qui doubla sa surface, en y incluant des communes de banlieue. Plusieurs parmi celles-ci avaient passé auparavant des

Un partage du marché parisien

En 1985, conformément à une décision du Conseil de Paris la distribution de l'eau n'est plus assurée par les services municipaux, mais par deux sociétés privées, la Compagnie générale des eaux et la Société lyonnaise des eaux. Par l'intermédiaire de leurs filiales, celles-ci achètent l'eau à la Ville de Paris et la revendent aux particuliers, la municipalité restant responsable de la production et du contrôle de la qualité. La filiale de la Compagnie générale des eaux gère la distribution dans les quatorze arrondissements de la rive droite, et celle de la Lyonnaise, dans les six arrondissements de la rive gauche.

contrats avec la Compagnie générale des eaux, qui fournissait chichement et à des prix très élevés de l'eau pompée de la Seine. Pour fusionner ces divers services des eaux avec celui de la ville de Paris, un arrangement fut signé entre l e préfet de la Seine Haussmann et la Compagnie. Celle-ci s'étendit donc dans la capitale. La Ville de Paris conservait tout ce qui touchait à l'exploitation technique et au service public (c'est-à-dire les eaux non potables de la Seine et du canal de l'Ourcq) ; la Compagnie était chargée d'accroître le nombre des abonnements du service privé (l'eau potable), versait les recettes à la caisse municipale, construisait les branchements jusqu'aux façades des maisons. Elle cédait ses usines élévatrices de banlieue, ses réservoirs et ses conduites à la Ville contre de substantielles annuités.

Ce régime mixte, satisfaisant les deux parties, fut reconduit en 1911 et a subsisté jusqu'à aujourd'hui. C'est vers 1890 que se multiplièrent les compteurs d'eau relevés par les agents de la compagnie, après qu'il fut décidé par la Ville de ne plus délivrer d'eau d'une autre façon. C'est le service des eaux de la Ville de Paris qui construit et entretient captages, canalisations et réservoirs. Il lui appartient également d'assurer le bon fonctionnement des usines élévatoires et de filtration.

La Générale des eaux, qui est au plan mondial le plus grand groupe pour la distribution de l'eau, détient des contrats de longue durée avec près de 8 000 municipalités françaises, ce qui lui assure des profits très confortables. C'est sur cette solide base financière

Coupe de maison salubre à Paris en 1900. On distingue l'arrivée de l'eau à l'évier de la cuisine et le système de chasse d'eau des toilettes.

L'usine de la Compagnie générale des eaux à Saint Clair, au tournant du siècle. La compagnie, dont les origines remontent à 1853, va avoir pour principale activité le service des eaux et l'assainissement ainsi que l'exécution de travaux d'adduction pour le compte des collectivités locales.

qu'a été constitué le groupe Vivendi Universal par un homme d'affaires des plus entreprenants, pour prendre le contrôle sur le plan mondial de multiples activités médiatiques à croissance rapide (télévision, cinéma, éditions, communications, etc.) qui n'avaient aucun rapport avec le traitement de l'eau. L'effondrement en Bourse des activités les plus spéculatives a failli faire passer sous le contrôle de capitaux anglo-saxons la Générale des eaux, mais devant l'inquiétude manifestée par un grand nombre de municipalités, une solution financière « à la française » semble avoir été trouvée.

La « Lyonnaise des eaux » est la deuxième grande compagnie française de distribution d'eau. Filiale un certain temps du Crédit Lyonnais, la « Société lyonnaise des eaux et d'éclairage » s'est, jusqu'à la Seconde Guerre mondiale, surtout développée dans les secteurs de la distribution du gaz, puis de l'électricité, notamment dans la région parisienne où elle constitue la fameuse CPDE (Compagnie parisienne de distribution d'électricité). Elle ne néglige pourtant pas le secteur de l'eau et elle obtient des concessions dans la banlieue de Bordeaux, dans l'agglomération de Lille et dans la région parisienne, plus précisément dans la seconde couronne de banlieue, la première couronne étant le premier fief de la « Générale des eaux ». Celle-ci, à la différence de la « Lyonnaise », est restée spécialisée dans la distribution de l'eau.

Au lendemain de la Seconde Guerre mondiale, la « Lyonnaise » se trouve directement touchée par la nationalisation du gaz et de l'électricité et, avec les indemnités dont elle dispose, commence à se développer dans la distribution de l'eau et l'assainissement, secteurs où elle devient plus directement rivale de la « Générale des eaux ». La concurrence pour l'obtention des contrats avec les municipalités se complique en 1983, avec la création par Bouygues – important groupe de construction – de la SAUR (Société d'aménagement urbain et rural) qui investit ce domaine pour 60 % de son chiffre d'affaires. La SAUR se lance sur un marché que les deux «grandes» avaient jusqu'alors négligé : l'adduction d'eau des communes rurales. La concurrence entre les trois grands groupes de l'eau s'étend aussi sur le plan international, où la «Lyonnaise» s'était lancée dès les années 1950, en y devançant quelque peu la «Générale des eaux». Entre ces trois groupes, et pour ce qui est de l'eau et de l'assainissement, la concurrence est vive. Mais, entre la «Générale» et la «Lyonnaise», il ne s'agit pourtant pas de conflits frontaux en toute occasion. Et c'est ainsi que, depuis longtemps, elles sont officiellement associées à Paris et dans la distribution des eaux de Marseille, de Lille et de Saint-Étienne. À Paris, elles cohabitent rive droite-rive gauche. La seconde couronne de banlieue est divisée en secteurs dépendant les uns de la «Générale» et les autres de la «Lyonnaise», la première couronne continuant de dépendre pour une très grande part de la «Générale» via le Syndicat des eaux d'Île-de-France.

Mais cela n'empêche pas que «Lyonnaise» et «Générale» aient chacune des fiefs et qu'elles veuillent les défendre, c'est-à-dire obtenir le renouvellement de contrats de longue durée avec les grandes municipalités. Les changements politiques et la mise en place de structures d'intercommunalité entraînent parfois de sérieuses redistributions des cartes. Si Nice, Montpellier, Rennes et Lyon sont des fiefs de la «Générale», en revanche Strasbourg, Nantes et Clermont-Ferrand restent desservies par des régies municipales. Ce régime est aussi le fait d'un grand nombre de communes, qui sont toutefois de petite taille. Aussi le marché de l'eau et plus encore celui de l'assainissement relèvent-ils, à 85 %, de l'activité des trois grands groupes privés.

L'eau potable

L'eau distribuée doit être potable, c'est-à-dire répondre à des normes qui garantissent l'absence de tout élément toxique ou pathogène, et autant que possible agréable à boire. Les critères actuellement en vigueur en France sont : absence de germes pathogènes et d'organismes parasites ; turbidité et saveur ; substances toxiques ou indésirables. Les appareils de mesure peuvent déceler des concentrations de l'ordre du milligramme par mètre cube.

Le rôle des grandes compagnies dans les opérations d'assainissement

Les problèmes d'épuration deviennent difficiles à résoudre : non seulement le volume des eaux usées a triplé dans les vingt dernières années, mais, en matière d'assainissement, la réglementation est de plus en plus draconienne. Celle-ci traduit l'opposition croissante de l'opinion à l'égard de toute forme de pollution, y compris olfactive.

Résoudre en milieu urbain les problèmes d'assainissement exige, faute de place, la mise en œuvre de techniques très complexes et sophistiquées, qui dépendent de recherches scientifiques de haut niveau. Certains procédés sont la propriété de

Le siège de la Lyonnaise des eaux à Nanterre, en banlieue parisienne. Créée en 1880, la Lyonnaise des eaux assure la distribution des eaux et le traitement des eaux usées.

grands groupes, comme la Générale des eaux ou la Lyonnaise des eaux, qui les ont mis au point. Aussi des municipalités qui ont longtemps géré en régie la distribution de l'eau sur leur territoire, en négligeant quelque peu l'assainissement, estiment que cela n'est plus possible et confient ces deux fonctions à l'un des grands groupes, en raison de leur savoir-faire en matière de contrôle des diverses formes de pollution et de gestion des déchets. Les municipalités sont souvent interpellées et mises en cause sur la question de l'eau, et il ne s'agit plus seulement de sa qualité, mais aussi de son goût et de son prix.

Le développement des préoccupations écologiques fait que, dans les pays développés, les formes de pollution les plus massives, par rejet de produits chimiques dans les cours d'eau, ne sont plus aujourd'hui qu'accidentelles, car elles sont interdites depuis des années. Mais les organisations écologistes surveillent attentivement la teneur de l'eau potable en nitrates, qui proviennent des engrais azotés utilisés trop massivement par l'agriculture et qui polluent les nappes aquifères. Les municipalités peuvent être l'objet de protestations qui se réfèrent à la réglementation de l'Union européenne en la matière.

Ces manifestations, surtout en période électorale, incitent les municipalités à intenter des procès aux sociétés de distribution d'eau, lesquelles en viennent à se retourner contre l'État. En effet, celui-ci a été récemment condamné (et le jugement fera jurisprudence) pour avoir laissé s'installer aux environs de Guingamp (en Bretagne) un trop grand nombre d'élevages industriels de poulets, dont les déjections provoquent la forte teneur en nitrates des eaux qui alimentent la ville par l'intermédiaire des captages de la compagnie concessionnaire.

L'eau des villes

Bien souvent les guerres n'ont eu d'autres objectifs que de mettre la main sur les richesses d'un État voisin. Bien précieux par excellence, l'eau n'échappe pas au phénomène. Ainsi, en Asie centrale et, plus encore, au Moyen-Orient, la question du tracé et du débit des cours n'est pas le moins important des facteurs qui conditionnent la géopolitique régionale. De même, la question de la «souveraineté» sur le Tigre et l'Euphrate, dont les barrages turcs du Taurus contrarient les cours, pourrait bien déclencher une guerre entre la Turquie et la Syrie ou l'Irak.

Le mont Ararat

Enjeux
géopolitiques

Enjeux géopolitiques

Par géopolitique, il faut entendre l'analyse des rivalités de pouvoirs sur des territoires, qu'il s'agisse de conflits entre des États qui se disputent la souveraineté ou l'influence sur des étendues de taille variable, ou qu'il s'agisse de rivalités à l'intérieur d'un même État.

L'expression «géopolitique de l'eau», qui est de plus en plus utilisée, désigne en première approche des rivalités politiques sur des bassins hydrographiques et dans la répartition du débit des cours d'eau, ou même l'exploitation de ressources hydrologiques souterraines.

De telles rivalités, qui s'expriment par des ouvrages ou des projets hydrauliques, existent non seulement entre des États dont les territoires sont traversés ou bordés

Bédouins dans le désert du Néguev venus se ravitailler en eau douce auprès d'un puits. L'eau est devenue un tel enjeu au Moyen-Orient qu'on y parle d'hydropolitique ou d'hydrogéopolitique.

par un même fleuve, mais aussi au sein d'un même État entre des régions ou des grandes villes, qui visent chacune à tirer parti de ressources hydrauliques de bassins hydrographiques plus ou moins proches.

Une polémique « hydropolitique »

C'est ainsi, par exemple, qu'en Espagne des rivalités se développent pour l'utilisation des eaux de l'Èbre entre diverses régions constituées en *autonomies* selon la Constitution de 1978 : non seulement entre l'*autonomie* d'Aragon et l'*autonomie* de Catalogne, l'une et l'autre traversées par ce fleuve, mais aussi avec d'autres régions autonomes situées sur la côte méditerranéenne. Alors qu'un « plan hydrologique national » voudrait leur faire bénéficier des eaux du plus puissant cours d'eau espagnol, elles s'opposent toutes les unes aux autres, l'Aragon exigeant de garder pour lui la plus grande partie des eaux de l'Èbre. Cette polémique « hydropolitique » est devenue internationale, franco-espagnole. Elle résulte du projet de conduire depuis la France, à travers la plaine du Languedoc, une petite partie des eaux du Rhône vers la grande agglomération de Barcelone, qui en aurait bien besoin et qui est prête à l'acheter.

Ce projet suscite de multiples protestations : d'abord, celles des cultivateurs français de fruits et légumes du Roussillon, qui s'opposent à ce que l'on vende de l'eau à leurs concurrents, les cultivateurs catalans. Mais les écologistes, qu'ils soient français ou catalans, rejettent ce projet hydraulique qu'ils estiment « contre nature » et qui de surcroît accentuerait la pollution de la Méditerranée en favorisant le développement industriel de Barcelone.

Depuis quelques décennies, les rivalités hydrauliques se sont multipliées et ont pris une ampleur considérable, en raison des énormes moyens mécaniques dont disposent désormais les entreprises de génie civil. Il est désormais possible de détourner, par des canalisations de plusieurs centaines de kilomètres, la plus grande partie du débit d'un fleuve ou de retenir l'équivalent de son volume annuel derrière un petit nombre de grands barrages. L'accroissement considérable des besoins en eau, du fait de la croissance démographique des grandes villes et de l'amélioration des niveaux de vie, accentue les rivalités hydropolitiques. Aussi certains commentateurs ont-ils pu proclamer que « les guerres pour l'eau » allaient être les grands conflits du XXIe siècle.

Pour évoquer la perspective de conflits pour l'eau entre des États voisins, il faut tenir compte de leurs configurations géographiques et de la localisation de leurs ressources hydrauliques.

Mais il faut aussi considérer que, dans certaines parties du monde, les rivalités pour l'eau viennent se superposer à des rivalités géopolitiques plus ou moins anciennes.

Le conflit israélo-palestinien ne porte pas seulement sur l'eau

Bien qu'il s'agisse de très petits territoires et de ressources hydrologiques assez minimes, la rivalité pour l'eau entre Israël et la Palestine est la plus marquée. Elle s'inscrit dans le conflit géopolitique entre Israéliens et Palestiniens, les uns et les autres se disputant leur territoire historique. La rivalité pour l'eau est accentuée par les données géologiques, dont l'abondance en sel, comme le prouve le fort degré de salinité de la mer Morte. Les seuls terrains aquifères qui ne sont pas trop salés sont ceux du massif du Golan, d'où descendent de petits cours d'eau en direction du lac de Tibériade.

Israël : des précipitations inégales

Les précipitations peuvent atteindre 600 à 800 mm par an sur les collines, mais tombent déjà au-dessous de 200 mm dans le fonds du fossé tectonique N-S et à moins de 100 mm sur les bords de la mer Morte, et diminuent de façon générale vers le S. Le Néguev, semi-désertique, au S (100 à 200 mm de précipitations), constitue plus de la moitié de la surface totale du pays.

La mer Morte, où débouche le Jourdain, témoigne, par sa forte salinité, de l'imbrication des facteurs géologiques et géopolitiques dans la question de l'eau au Moyen-Orient.

Celui-ci est la seule réserve d'eau qui ne soit pas salée. Vers l'aval, dans le cours du Jourdain, les eaux se chargent en sel avant d'atteindre la mer Morte. À l'issue de violents combats en 1967, les Israéliens ont pris le contrôle de ce château d'eau qu'est le Golan. Depuis, ils refusent de le rendre à la Syrie par crainte qu'elle prive d'alimentation le lac de Tibériade. Celui-ci est le point stratégique majeur de tout le réseau d'adduction d'eau d'Israël. Dans la mesure où ce réservoir naturel se trouve à 212 m au-dessous du niveau de la mer (la mer Morte est à – 404 m), il faut de puissantes pompes pour élever l'eau jusqu'au niveau de la plaine côtière et des plateaux, où se trouve la majeure partie des populations.

Le gouvernement israélien contrôle toutes les ressources en eau, y compris celles de Cisjordanie, qui a été reconnue par les accords d'Oslo de 1993 comme le territoire d'une «Autorité palestinienne», futur État palestinien. Le contrôle israélien s'exerce également sur les nappes souterraines. Aussi est-il interdit de creuser des puits ou d'effectuer des forages sans son autorisation. La répartition de l'eau entre Israéliens et Palestiniens est très inégale : ces derniers ne reçoivent guère d'eau sous prétexte qu'ils ont peu de cultures irriguées, alors que la plus grande part de l'eau disponible est attribuée aux Israéliens parce qu'un certain nombre d'entre eux possèdent d'importantes exploitations irriguées ou arrosées. Il n'en reste pas moins qu'au total les ressources en eau sont limitées et que le contentieux hydraulique entre Israéliens et Palestiniens n'est qu'un des aspects de la rivalité géopolitique qui oppose ces deux peuples depuis plus de cinquante ans.

Israël : une culture de l'irrigation

L'irrigation a été longtemps fondée, devant l'impossibilité pour des raisons politiques d'utiliser les eaux du Jourdain, sur des sources, des puits, et sur un prélèvement massif dans le lac de Tibériade. Transportées par canalisation jusque dans le Néguev, les eaux du lac de Tibériade ont permis, sur environ la moitié des surfaces cultivées, une intensification de l'agriculture à laquelle les pluies n'auraient pas suffi.

Les guerres de l'eau provoquées par les grands barrages au Moyen-Orient

Toujours au Moyen-Orient, des rivalités hydrauliques de plus grande envergure concernent des territoires plus étendus. Ces rivalités portent sur l'utilisation des eaux des deux plus grands fleuves du Moyen-Orient, le Tigre (1 950 km) et l'Euphrate (22 300 km). Ils descendent l'un et l'autre des montagnes de Turquie pour atteindre le golfe Persique par un estuaire commun, le Chatt al-Arab, après avoir traversé des régions qui sont de plus en plus arides vers le sud. Le parallélisme des vallées de ces deux fleuves a incité les géographes grecs de l'Antiquité a appeler «Mésopotamie» (au milieu des fleuves) l'espace où s'étaient déjà développées des civilisations particulièrement brillantes, comme celles d'Assyrie et de Babylone.

Roue à eau sur l'Euphrate. La Turquie estime que ce fleuve n'est pas international et qu'elle peut donc utiliser ses eaux comme bon lui semble.

C'est à propos de ces deux fleuves que, selon certains commentateurs, une véritable guerre de l'eau peut éclater au Moyen-Orient, entre la Turquie et la Syrie ou l'Irak. En effet, la Turquie a construit dans les hautes vallées, principalement celles de l'Euphrate et de ses affluents, qui coupent les chaînes

Baignade dans le Tigre. Comme pour l'Euphrate, la Syrie et l'Irak tentent d'imposer à la Turquie un partage équitable et définitif des eaux du Tigre.

du Taurus, toute une série de barrages – ils seront une vingtaine d'ici à 2010 – dans le cadre du Grand Projet anatolien (GAP).

La Turquie peut désormais stocker derrière ces barrages l'équivalent de plus d'une année entière de débit du Tigre et de l'Euphrate. Une perspective qui priverait en aval, au milieu des steppes et des déserts, les vallées de l'ancienne Mésopotamie d'une eau qui est absolument indispensable à une partie significative de la population syrienne et à l'essentiel de la population irakienne. Même limité à quelques mois, durant une épreuve de force, l'arrêt de l'écoulement des fleuves par suite de la fermeture des barrages de Turquie aurait pour des millions d'hommes des conséquences catastrophiques. De surcroît, le projet du gouvernement turc de développer, dans le cadre de sa frontière, de grands périmètres d'irrigation sur les plaines et les piémonts situés au sud de la chaîne du Taurus entraînerait de façon définitive une réduction des ressources hydrauliques nécessaires au développement agricole et urbain de la Syrie et surtout de l'Irak. Ces deux États sont d'ailleurs directement rivaux en matière d'hydraulique, puisque le développement de l'irrigation en Syrie en aval du grand barrage d'al-Tabqa, sur l'Euphrate, réduit d'autant ce que reçoit l'Irak en aval.

Puisque le thème des « guerres de l'eau » est d'actualité, la campagne mondiale contre les barrages (que nous étudierons au chapitre suivant) ne se fait pas faute de dénoncer comme « fauteurs de guerre » les barrages qui viennent d'être construits par la Turquie et ceux qu'elle va continuer de construire dans l'avenir. On souligne les conséquences négatives qui en résultent pour la Syrie et l'Irak et l'on néglige ou même on stigmatise les avantages que pourra en retirer la Turquie.

L'irrigation au Kazakhstan

Situé entre la mer Caspienne à l'ouest et l'Altaï à la frontière chinoise, et entre la bordure méridionale de la plaine de Sibérie et la frontière septentrionale des ex-républiques soviétiques d'Asie centrale, le territoire du Kazakhstan s'organise autour de la vielle montagne qui ordonne son centre.

On trouve au sud des dépressions asséchées : la mer d'Aral et le lac Balkhach.

Les trop faibles précipitations décroissent du nord au sud et varient entre 100 et 300 mm par an.

Le réseau hydrographique – Amou-Daria et Syr-Daria – est considéré comme indigent.

Les ponctions considérables réalisées sur les débits du Syr-Daria et de l'Amou-Daria et destinées à l'irrigation sont à l'origine de l'assèchement de la mer d'Aral. Il reste que l'irrigation a permis, au temps de l'URSS, les cultures du blé, du tournesol, des betteraves, ainsi que des prairies artificielles pour l'élevage du bétail. Les cultures irriguées du piémont de l'Altaï et de l'Ala Taou, à l'est d'Alma-Ata, constituent le deuxième secteur de l'agriculture kazakhe. Le secteur agricole est le premier employeur du pays – 20 à 25 % de la population active – et représente 9 % du PIB.

Le risque de conflit entre la Turquie et ses voisins arabes est le plus souvent évoqué, dans les médias, comme s'il s'agissait de l'exemple parfait démontrant l'imminence d'un grand nombre d'autres «guerres de l'eau» qui pourraient se produire dans diverses parties du monde. L'eau est alors présentée comme un enjeu primordial qui expliquerait à lui seul tous ces conflits. Pourtant, une analyse sérieuse ne doit pas dissocier la «géopolitique de l'eau» de l'ensemble des tensions géopolitiques qui existent entre des États. C'est ce que montre une brève analyse des causes qui opposent la Turquie à la Syrie et à l'Irak, le litige sur le débit du Tigre et de l'Euphrate étant plutôt la conséquence de raisons géopolitiques bien antérieures à la construction des barrages du Grand Projet anatolien.

La Turquie, l'irrigation et la question kurde

Le fait que les futurs périmètres d'irrigation sur les plaines et les piémonts situés au sud de la chaîne du Taurus se situent dans les régions de peuplement kurde est considéré comme un moyen utilisé par le gouvernement turc pour noyer, en quelque sorte, la rébellion des Kurdes en les diluant dans une importante immigration turque qui pourrait être attirée par le développement agricole rendu possible par l'eau des barrages.

Un contentieux géopolitique plus ancien oppose la Turquie à ses voisins arabes

En effet, un important contentieux historique existe entre la Turquie et les Arabes, notamment avec les Syriens : Ankara accuse la Syrie de lui avoir porté, en 1916, durant la Première Guerre mondiale, un véritable coup de poignard dans le dos, en lançant la «révolte arabe» poussée par les Britanniques, alors que l'Empire ottoman avait jusque-là protégé le monde arabe contre l'impérialisme occidental. Rappelons que, pour marquer la rupture définitive des Turcs avec l'arabité, Mustafa Kemal, fondateur de la Turquie moderne, imposa, sans susciter d'opposition majeure parmi ses concitoyens, l'abandon de l'alphabet arabe et de l'écriture de droite à gauche et son remplacement par l'alphabet latin, s'écrivant de droite à gauche.

En Turquie, le souvenir de la Première Guerre mondiale, de la «révolte arabe» et de la dislocation de l'Empire ottoman est encore vif. Cela explique en revanche les bonnes relations des Turcs avec Israël.

Le sandjak d'Alexandrette

Entre la Turquie et la Syrie se pose aussi, sur la côte méditerranéenne, la question du sandjak d'Alexandrette – ou, en turc, d'Iskenderun. Cette région de peuplement turc et arabe a été perdue par les Turcs en 1918 et fit ensuite partie du «mandat français» sur la Syrie. Mais, sans tenir compte des protestations des Syriens ni de l'avis de la Société des Nations, qui lui avait attribué ce mandat, le gouvernement français rétrocéda en 1938 le sandjak d'Alexandrette à la Turquie. Il s'agissait pour le gouvernement français d'améliorer ses relations diplomatiques avec les Turcs et de les dissuader de s'allier de nouveau avec l'Allemagne, comme ils l'avaient fait durant la Première Guerre mondiale.

La Syrie, depuis son indépendance en 1945, n'a cessé de revendiquer le sandjak d'Alexandrette. Ce petit territoire prend aujourd'hui une importance stratégique encore plus grande, puisque c'est dans le golfe d'Iskenderun que va aboutir l'oléoduc acheminant vers la Méditerranée, par l'est de la Turquie, le pétrole de Bakou et celui des autres gisements récemment découverts autour de la mer Caspienne.

Les causes de tensions géopolitiques ne manquent donc pas entre les États qui se partagent les bassins du Tigre et de l'Euphrate. Bien plus que l'insuffisance des ressources hydrauliques, ce sont ces tensions très antérieures aux barrages construits par la Turquie qui sont, somme toute, la cause des rivalités quant à la répartition entre ces États du débit des fleuves. Mais il faut tenir compte qu'il y a en vérité beaucoup d'eau. En effet, le Taurus est une grande chaîne de montagnes. Longue de plus de 1 000 km, avec des sommets dépassant 3 000 m, bien exposée aux dépressions atmosphériques qui sont passées sur la Méditerranée, elle reçoit beaucoup de neige en hiver.

Un marché régional de l'eau au Moyen-Orient pourrait atténuer les conflits

Avec le Taurus, la Turquie possède beaucoup d'eau, comme le prouvent les grands projets concernant les eaux de deux fleuves voisins, Seyhan et Ceyhan, qui débouchent dans la plaine irriguée d'Adana, au nord du golfe d'Iskenderun. Il est envisagé qu'une grosse canalisation (3 m de diamètre) puisse conduire une partie de leurs eaux vers Israël et la Jordanie. En se divisant en deux branches, cette canalisation serait susceptible de se poursuivre jusqu'à Riyad et Djedda, en Arabie saoudite, soit une distance de 2 400 km. Ce projet, évalué entre 15 et 20 milliards de dollars, serait financé par les États concernés et pourrait permettre à la Turquie de vendre 2 000 milliards de mètres cubes d'eau par an ! Évidemment, pour le moment, la réalisation de ce projet se heurte à l'opposition catégorique de la Syrie, puisque la canalisation (à moins qu'elle ne fût sous-marine) devrait passer par le territoire syrien. Il existe aussi d'autres projets à partir des grands barrages du centre et de l'est du Taurus.

> **La richesse hydraulique de la Turquie**
> Au-delà du bassin de l'Euphrate, la Turquie entend se servir aussi de sa richesse hydraulique, celle des chaînes très arrosées du Taurus, pour intervenir directement dans les affaires de l'ensemble du Moyen-Orient et pour s'imposer comme une force incontournable dans le processus de recomposition de la carte géopolitique moyen-orientale qui s'est accéléré avec la guerre du Golfe.

Comme le prouve le nombre de ces projets hydrauliques qui concernent une grande partie du Moyen-Orient, il y a donc, grâce au Taurus, de l'eau, beaucoup d'eau. Une abondance qui donne une importance géographique capitale à cette imposante chaîne de montagnes située au nord des étendues

La rivalité

Utilisation intensive de l'eau pour les cultures en Haute Galilée. L'agriculture dépend beaucoup de l'irrigation, et le contrôle de l'eau reste un élément de tension permanent entre Israéliens et Palestiniens.

steppiques et désertiques de ce que l'on peut appeler en termes de géohistoire « l'isthme syrien », entre la Méditerranée et le golfe Persique. Grâce à la pleine utilisation des eaux du Taurus, le rôle du « Croissant fertile » pourrait considérablement s'élargir. Cette expression imagée désigne les régions arrosées par la pluie ou par les fleuves qui se disposent en arc – ou en croissant – du Proche-Orient à la Mésopotamie.

Le fait qu'il y ait beaucoup d'eau désormais disponible grâce aux barrages conduit à envisager les problèmes du Moyen-Orient d'une tout autre façon qu'en fonction du thème de la sécheresse, du désert et de la pénurie. Au lieu d'être prétendument condamnés à des « guerres de l'eau » (elles sont d'ailleurs peu probables compte tenu de la supériorité militaire de la Turquie sur ses voisins arabes), les États du Moyen-Orient devraient plutôt s'entraider pour établir ce marché commun de l'eau dans leur intérêt mutuel. La Turquie a besoin de l'accord de ses voisins pour vendre l'eau dont elle dispose et éviter qu'elle s'écoule en pure perte afin de rentabiliser le coût des barrages. L'idée de grands travaux hydrauliques comme base d'une coopération internationale n'est peut-être pas tout à fait utopique, et l'on peut penser que l'instauration de ce grand marché hydraulique dans le cadre du Moyen-Orient puisse un jour contribuer à atténuer le conflit entre Israéliens et Palestiniens en fournissant aux uns et aux autres l'eau dont ils ont besoin.

...entre l'Égypte et le Soudan pour l'utilisation ...s eaux du Nil

Le barrage d'Assouan, dont la mise en eau a commencé en 1970, a permis à l'Égypte de faire face à la considérable croissance démographique de sa population concentrée dans l'étroite vallée du Nil, au milieu du désert.

Le premier barrage sur le Nil

C'est d'ailleurs Méhémet-Ali qui fit construire en aval du Caire, à la pointe du delta, le premier barrage en Égypte pour retenir une partie de la crue du Nil et développer des cultures irriguées durant le reste de l'année. Pour ses grands travaux – il participe au projet français de creuser le canal de Suez –, Méhémet-Ali avait besoin de main-d'œuvre. La conquête du Soudan allait lui offrir un moyen de capturer des esclaves noirs dans les régions les plus méridionales.

On pourrait dire qu'il n'y a plus de grand problème d'eau en Égypte, puisque l'effectif de sa population va se stabiliser avec le ralentissement de la croissance démographique. Pourtant, les autorités égyptiennes craignent ce qui peut se passer en amont du barrage d'Assouan, c'est-à-dire au Soudan et même en Éthiopie, d'où vient la majeure partie des eaux du Nil.

La moyenne vallée du Nil, qui correspond aujourd'hui à la république du Soudan, a été conquise au début du XIXe siècle

par les armées de Méhémet-Ali, qui,
après le choc de l'expédition de Bonaparte,
avait entrepris de moderniser l'Égypte.

L'Égypte, même passée sous protectorat
britannique à la fin du XIXe siècle, conserve
une autorité sur le Soudan. Mais, après
la Seconde Guerre mondiale, les mauvais
rapports entre Égyptiens et Soudanais
incitèrent ces derniers à se séparer
de l'Égypte et à créer en 1956 un vaste
État indépendant.

La plus grande partie des étendues soudanaises
étant plus ou moins arides, il apparut bientôt
qu'il fallait tirer parti des eaux du Nil. Celui-ci
traversait le Soudan sans qu'on en fasse grand
usage. Aussi le gouvernement soudanais
a-t-il lancé de grands projets d'irrigation, dans les vastes plaines en amont
de Khartoum, la capitale, en utilisant les eaux du Nil Blanc et celles du Nil Bleu,
qui descend des plateaux d'Éthiopie. Mais ces projets, comme ceux
du gouvernement éthiopien, qui entend retenir par des barrages les eaux

Le barrage d'Assouan, une formidable capacité de stockage

Avant la construction du barrage
d'Assouan, les capacités de
stockage de l'eau du Nil étaient
de 4 milliards de mètres cubes,
l'essentiel des eaux du Nil allant
alors se perdre en Méditerranée.
Grâce à Assouan, les capacités
de stockage sont passées à
165 milliards de mètres cubes.
Lorsque la construction du barrage
a commencé vers 1960, les Égyptiens n'étaient qu'une vingtaine
de millions : ils sont plus de
60 millions aujourd'hui.

du Nil Bleu et de son affluent l'Atbara,
inquiètent le gouvernement égyptien,
car ils réduiraient d'autant les eaux arrivant
derrière le barrage d'Assouan.
Aussi les dirigeants égyptiens ne voient-ils pas
d'un mauvais œil les troubles politiques qui
se déroulent en amont dans la vallée du Nil.
Au Sud-Soudan, les populations ne sont pas
musulmanes et elles combattent depuis des années
pour devenir indépendantes. L'Éthiopie sort
d'un conflit avec l'Érythrée. Ces guerres
retardent d'autant la mise en œuvre des projets
hydrauliques, qui risquent de priver l'Égypte
de l'eau dont elle a tant besoin.

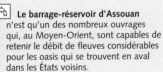

Le barrage-réservoir d'Assouan
n'est qu'un des nombreux ouvrages
qui, au Moyen-Orient, sont capables de
retenir le débit de fleuves considérables
pour les oasis qui se trouvent en aval
dans les États voisins.

Moyen-Orient

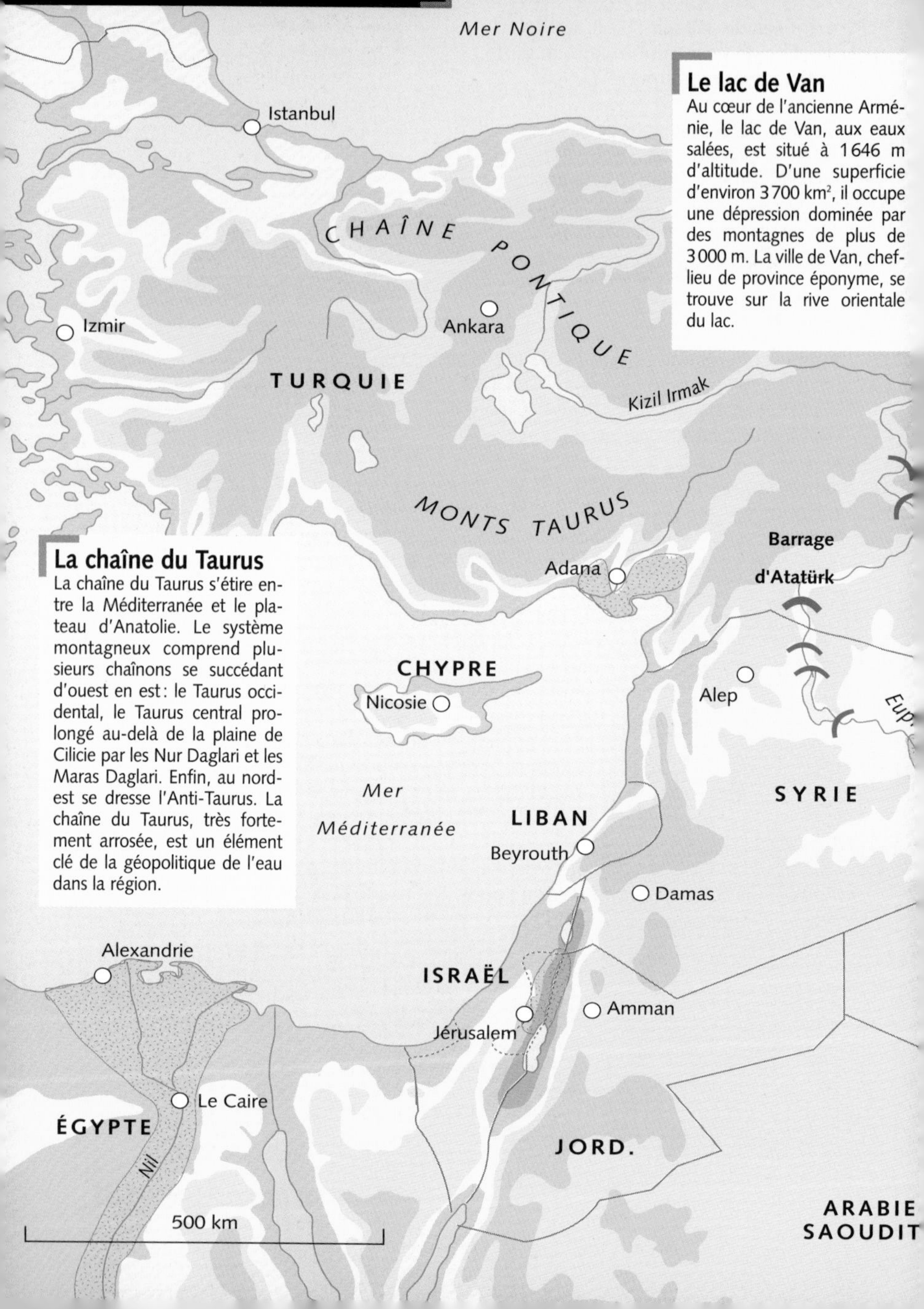

Mer Noire

Istanbul

C H A Î N E

P O N T I Q U E

Izmir

Ankara

TURQUIE

Kizil Irmak

M O N T S   T A U R U S

Adana

Barrage d'Atatürk

CHYPRE

Nicosie

Alep

EUP.

Mer Méditerranée

SYRIE

LIBAN

Beyrouth

Damas

Alexandrie

ISRAËL

Amman

Jérusalem

Le Caire

ÉGYPTE

Nil

JORD.

500 km

ARABIE SAOUDIT

Le lac de Van

Au cœur de l'ancienne Arménie, le lac de Van, aux eaux salées, est situé à 1 646 m d'altitude. D'une superficie d'environ 3 700 km², il occupe une dépression dominée par des montagnes de plus de 3 000 m. La ville de Van, chef-lieu de province éponyme, se trouve sur la rive orientale du lac.

La chaîne du Taurus

La chaîne du Taurus s'étire entre la Méditerranée et le plateau d'Anatolie. Le système montagneux comprend plusieurs chaînons se succédant d'ouest en est : le Taurus occidental, le Taurus central prolongé au-delà de la plaine de Cilicie par les Nur Daglari et les Maras Daglari. Enfin, au nordest se dresse l'Anti-Taurus. La chaîne du Taurus, très fortement arrosée, est un élément clé de la géopolitique de l'eau dans la région.

Le barrage Atatürk

Le barrage Atatürk s'inscrit dans le cadre du grand projet hydraulique du Sud-Est anatolien : le Guneydogu Anadolu Projesi (GAP). Commencé en 1983, actuellement en cours de remplissage, le barrage offre une capacité totale de rétention de l'ordre de 48,7 milliards de mètres cubes d'eau. Face au refus des organisations financières internationales de participer au projet sans un accord de partage des eaux entre les États du bassin, le gouvernement turc a choisi d'assumer une grande partie du coût tout en sollicitant des investisseurs privés pour le reste.

Le lac d'Ourmia

N'excédant pas 15 m de profondeur, le lac d'Ourmia possède des eaux très salées (158 g de sel par litre). Il couvre environ 4 750 km en basses eaux, mais s'étend considérablement en hiver et au printemps.

RUSSIE

CAUCASE

Elbrous 5 642 m

Kazbek 5 047 m

Tbilissi

Koura

ARMÉNIE

AZERBAÏDJAN

Erevan

Bakou

Mer Caspienne

rum

Ararat 5 137 m

AZ.

Lac de Van

Tabriz

Lac d'Ourmia

KURDISTAN

ELBOURZ

Mossoul

Téhéran

Tigre

Kirkuk

MONTS ZAGROS

IRAN

MÉSOPOTAMIE

Bagdad

IRAK

Basra

Cultures irriguées

Barrages

Altitude en mètres

1500
500
200
0

Les changements climatiques et leurs conséquences – extension des zones arides ou risque de submersion dans les vallées des grands fleuves d'Asie –, l'accroissement de la population mondiale et la montée des revendications pour l'eau dans les villes du tiers-monde posent aux hommes une question primordiale quant à leur avenir. À cet égard, les barrages apportent un élément de réponse, notamment en régularisant le débit des fleuves et en captant une eau dont l'agriculture a le plus grand besoin. Malgré d'évidents avantages, ces ouvrages font l'objet de vives critiques, particulièrement dans les milieux écologistes, au nom des hommes qu'ils sont pourtant censés protéger. Il est vrai que la révolution hydraulique ne se fera pas sans résistance.

Le barrage de Narmada, Inde

Perspectives

Perspectives

Dans les prochaines décennies, les problèmes de l'eau vont s'aggraver, qu'il s'agisse de pénurie ou d'inondations. D'ici à 2025, la population mondiale va passer de 6 à 8 milliards d'hommes, et cet accroissement va surtout se produire dans les pays qui sont les moins bien équipés du point de vue hydraulique.

Si l'on évalue, compte tenu de la croissance démographique, l'évolution d'ici 25 ans de la disponibilité en eau par habitant et par an d'un grand nombre de pays, on peut constater que certains sont hydrologiquement bien pourvus par la nature, alors que d'autres, d'ores et déjà défavorisés, vont avoir de plus en plus de mal à fournir en eau une population importante.

Il importe donc de réaliser de nombreux ouvrages hydrauliques afin de tirer le meilleur parti de ressources en eau qui risquent de devenir insuffisantes.

Puits d'eau non potable à Xochitenco, dans l'État de Mexico. L'accès à l'eau potable reste encore très inégal malgré les efforts des autorités mexicaines.

Il ne suffit pas d'évaluer la croissance démographique globale, il faut aussi tenir compte des besoins de plus en plus importants des grandes villes. C'est en Afrique, en Asie et en Amérique latine que les grandes villes vont continuer de s'accroître massivement. On peut s'attendre à ce que, dans les quartiers populaires, les revendications pour l'eau potable et pour les égouts s'expriment avec une force croissante.

La montée des revendications pour l'eau dans les villes du tiers-monde

Dans les pays du tiers-monde, les municipalités des grandes villes doivent désormais répondre à de nombreuses revendications qui portent sur une plus juste distribution de l'eau entre les quartiers riches et les quartiers pauvres ou bidonvilles. Les uns possèdent de l'eau en abondance, alors que les autres, où vit la grande majorité de la population, n'en ont presque pas.

Il s'agit en vérité de la revendication politique la plus efficace, car elle est posée en termes techniques et géographiques et non plus de façon idéologique. Alors que les causes historiques de la pauvreté et de l'injustice dans les pays du tiers-monde sont complexes et discutables, et comme on sait aujourd'hui qu'il n'est guère possible de changer d'un coup la société, la revendication d'une plus juste distribution géographique de l'eau est celle qui se fonde sur les preuves de l'inégalité en termes irréfutables. C'est celle aussi qui a le plus vite suscité le consensus social. Comme il n'est pas question de priver d'eau les quartiers riches pour répondre aux besoins des quartiers pauvres, il est donc nécessaire d'accroître le débit total des adductions d'eau qui alimentent les villes. Il est donc nécessaire d'en étendre le réseau sur de plus vastes territoires. Cela implique, en principe, d'avoir passé des accords avec les collectivités territoriales concernées afin qu'elles tirent elles aussi avantage des nouveaux travaux hydrauliques.

Certains mouvements politiques, notamment écologistes, exigent que l'eau soit considérée comme un bien indispensable et inaliénable et qu'elle soit distribuée gratuitement en quantité suffisante à tous les habitants des pays pauvres.

La baisse des disponibilités en eau

De 2000 à 2025, aux États-Unis, la disponibilité en eau passerait de 10 000 m^3 à 8 000 m^3 par habitant et par an ; en France, de 3 000 m^3 à 2 700 m^3. Le Brésil paraît particulièrement bien loti avec une disponibilité actuelle de 40 000 m^3 par habitant et par an ; celle-ci se réduirait à 30 000 m^3 en 2025, ce qui reste encore très abondant. En revanche, au Mexique, la disponibilité en eau passerait de 2 600 m^3 à 1 810 m^3. En Chine, elle passerait de 1 860 m^3 à 1 520 m^3, et en Inde de 1 380 m^3 à 810 m^3. Au Maroc, de 860 m^3 à 540 m^3. Enfin, en Algérie, de 420 m^3 aujourd'hui, ce qui est déjà très faible, à 270 m^3.

Ces évaluations globales ne tiennent pas compte de l'inégalité de la répartition des pluies sur le territoire d'un même État ; certaines régions peuvent y être relativement bien arrosées, alors que d'autres, assez éloignées, peuvent être marquées par la sécheresse.

Ces mouvements proclament que l'eau, pas plus que l'air que l'on respire, ne doit être une marchandise et que l'accès à l'eau potable est un des droits fondamentaux de l'homme et de la femme. Ces prises de position sont sympathiques, mais, en s'opposant à ce que l'on pose en termes financiers le problème de la distribution de l'eau, on freine d'autant la mise en œuvre de grands programmes hydrauliques qui nécessitent l'investissement d'importantes masses de capitaux. Certes, l'aide internationale peut fournir une partie d'entre eux, mais il faut tenir compte du fait que la plupart des municipalités d'Afrique, d'Asie et d'Amérique latine, faute de savoir-faire en matière d'hydraulique et de distribution des eaux, et de moyens financiers, n'ont guère été capables jusqu'à présent de répondre aux besoins de la plus grande partie des populations urbaines.

Il faudrait donc, compte tenu de l'urgence, que les municipalités recourent aux investissements et aux services d'entreprises compétentes, et qu'elles passent avec celles-ci des contrats assurant une rémunération raisonnable des capitaux investis. Cependant, des mouvements qui se réclament de l'écologie jugent scandaleuse l'idée que les entreprises concessionnaires de la distribution de l'eau fassent payer l'eau en installant des compteurs d'eau individuels dans les logements des quartiers populaires. Mais c'est passer sous silence que les habitants de ces quartiers, faute d'avoir de l'eau au robinet, doivent l'acheter au jour le jour à des marchands d'eau, qui, forts de leur monopole, pratiquent des prix exorbitants. C'est ainsi qu'à Lima le mètre cube d'eau du robinet revient à 0,15 dollar et à 3 dollars payés au total au marchand ; à Jakarta, en Indonésie, l'eau payée au compteur est à 0,5 dollar le mètre cube et 2,5 dollars achetée au porteur d'eau. Le record est à Port-au-Prince, à Haïti, où l'écart varie de 1 dollar le mètre cube à 5 dollars et même 16 dollars. (*le Figaro*, 24 juillet 2002).

L'eau dans le monde

L'eau est sur la planète l'élément le plus répandu (1 360 millions de km³). Le volume d'eau utilisé chaque année est 375 fois plus élevé que la production de tous les minerais. La presque totalité de l'eau (95,5 %) est salée ou contenue dans les calottes glaciaires ou les glaciers (2,2 %). Il reste donc 2,3 % d'eau douce utilisable, la quasi-totalité dans le sol et le sous-sol, 130 000 km³ dans les lacs et les marais, de 13 000 à 15 000 km³ dans l'atmosphère et 4 000 km³ dans les cours d'eau. L'eau est une ressource renouvelable : elle s'évapore des océans, puis retombe sous forme de pluies (100 000 km³ par an sur les continents) et s'écoule par les fleuves vers les océans. Une partie s'infiltre dans les nappes.

Comme ce fut le cas en Europe, la « révolution hydraulique », si elle parvient à être réalisée, sera une des formes essentielles du développement de la démocratie.

Les conséquences possibles de « l'effet de serre »

Conséquences de la révolution industrielle et de la consommation massive de charbon, de pétrole et de gaz, l'augmentation de la teneur en gaz carbonique suscite de graves hypothèses quant aux changements de climat à la surface

⌖ **Le barrage de Kataze, dans la région de Leribe au Lesotho.** L'eau constitue la principale ressource du pays puisqu'elle est revendue à l'Afrique du Sud.

du globe dans les prochaines décennies. Le gaz carbonique réduisant la déperdition de la chaleur terrestre dans l'espace interplanétaire, il va sans doute en résulter une sensible augmentation de la température dans les basses couches de l'atmosphère. Les climatologues et les spécialistes de la physique du globe ne sont pas tous d'accord sur l'ampleur de ce réchauffement, et encore moins sur ses conséquences dans les différentes parties du monde.

Certes, du fait de la fonte d'une partie des grandes calottes glaciaires du Groenland et de l'Antarctique, où se trouvent stockés environ 90 % de l'eau douce, le niveau des océans va légèrement s'élever et des atolls du Pacifique et de l'océan Indien vont être submergés. Beaucoup plus graves sont les changements climatiques. Quand les écologistes ont commencé à dénoncer les causes de ce phénomène qu'ils ont dénommé « l'effet de serre », on a d'abord pensé que la hausse des températures se traduirait dans une grande partie du monde par l'extension de la sécheresse, du fait de l'accroissement de l'évaporation. On raisonnait alors sur les conséquences de celle-ci à la surface des continents, la chaleur du soleil séchant des étendues de sol qui avaient été mouillées par la pluie. Mais il faut tenir compte que 71 % de la surface terrestre sont formés par les mers et les océans et qu'à la surface de la majeure partie de ces étendues marines (sauf sur les banquises) la chaleur du soleil provoque une considérable évaporation de l'eau de mer. C'est cette évaporation qui alimente les pluies à la surface des continents et aussi des océans. L'accroissement des températures causé par « l'effet de serre » va entraîner une augmentation de l'évaporation à la surface des océans, une augmentation de la teneur en vapeur d'eau des basses couches de l'atmosphère et une augmentation des pluies dans certaines parties du monde.

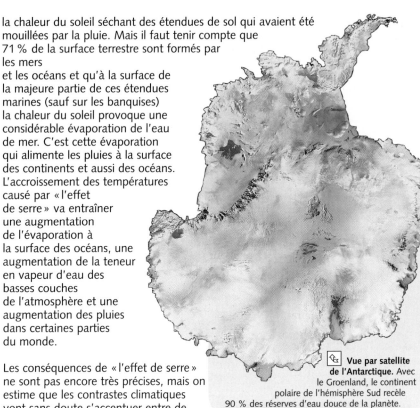

Vue par satellite de l'Antarctique. Avec le Groenland, le continent polaire de l'hémisphère Sud recèle 90 % des réserves d'eau douce de la planète.

Les conséquences de « l'effet de serre » ne sont pas encore très précises, mais on estime que les contrastes climatiques vont sans doute s'accentuer entre de grandes parties du monde.

La circulation atmosphérique et celle des grandes masses océaniques apparaissent beaucoup plus complexes qu'on le croyait il y a encore quelques années. Pour rester simple dans le cadre de cet ouvrage, rappelons les analyses du premier chapitre de ce livre : il faut tenir compte, d'une part, du circuit que forment les vents alizés et contre-alizés, d'autre part, du mécanisme de la mousson sur une grande partie du continent asiatique. Rappelons, enfin, en s'intéressant surtout à l'hémisphère Nord (où vit la plus grande partie de l'humanité) que, dans les basses couches de l'atmosphère, les masses d'air différentes montent vers le nord durant l'été (de l'hémisphère Nord) pour redescendre vers l'équateur en hiver. Il est probable qu'une augmentation des températures moyennes due à l'effet de serre va provoquer en été une montée plus importante et plus durable de l'air saharien (les contre-alizés), qui pourrait étendre la sécheresse non seulement sur la Méditerranée, mais aussi sur une grande partie de l'Europe. En quelque sorte, le Sahara monterait vers le nord. En revanche, au sud du Sahara, la masse d'air équatoriale monterait davantage vers le nord et apporterait durablement la pluie sur des contrées qui subissent aujourd'hui de longs mois d'aridité. Il est difficile de prévoir l'évolution des climats en Amérique à cause de la singularité climatique de ce continent, où, au niveau du tropique, il n'y a pas d'équivalent du Sahara. Peut-être l'Amazonie se déplacerait-elle vers le nord, exposant à l'aridité une grande partie du Brésil.

L'accroissement de l'évaporation à la surface des océans va sans doute entraîner sur l'Asie orientale une augmentation considérable du volume de la mousson et des risques de submersion dans les vallées des grands fleuves. En revanche, le nord-est de l'Inde pourrait subir une extension vers l'est de la zone aride qui s'étend du Sahara au Pakistan. Ces prévisions sont relatives et imprécises, mais elles permettent d'affirmer que dans les prochaines décennies la plupart des pays vont être confrontés à une aggravation des problèmes de l'eau, soit qu'ils doivent essayer de pallier les conséquences d'un assèchement sensible, soit au contraire qu'ils se trouvent contraints de faire face à une augmentation considérable des crues qui risquent de submerger les plaines alluviales et les vallées.
Dans la plupart des pays, il va donc falloir se préparer à mener des batailles pour ou contre l'eau : soit contre la sécheresse, soit contre la submersion.
Paradoxalement, les mouvements écologistes, qui ont été les premiers à dénoncer les conséquences climatiques de «l'effet de serre», sont tout à fait hostiles à la réalisation d'ouvrages hydrauliques, certains allant jusqu'à mener une campagne acharnée contre les barrages.

Le río Negro sous la pluie.
Si les précipitations sont abondantes en Amazonie, le Brésil reste globalement confronté à des périodes de sécheresse.

La campagne des mouvements écologistes contre les barrages

Pour expliquer leur campagne contre les barrages, les écologistes affirment qu'au xxᵉ siècle, et dans l'ensemble des pays, les ouvrages ont bouleversé la nature et surtout qu'ils ont chassé des millions d'hommes et de femmes des terres et des villages où ils vivaient jusqu'alors. En amont du barrage, l'eau monte et submerge ce qui avait été le cadre de vie de ces gens.

Dans le développement du mouvement écologiste, qui a pris son essor aux États-Unis et en Europe occidentale il y a une trentaine d'années, les barrages ont d'abord été relativement bien vus, surtout s'ils produisaient la forme d'énergie non polluante qu'est l'hydroélectricité. La campagne des écologistes contre les barrages a progressivement commencé il y a une dizaine d'années et elle bat son plein aujourd'hui. C'est à propos des grands ouvrages hydrauliques construits dans les « pays socialistes », en URSS notamment, ou dans des pays du tiers-monde, que cette campagne a débuté. Ces ouvrages hydrauliques étaient souvent grandioses, mais, comme le parti unique limitait la liberté d'expression et affirmait le primat de l'intérêt général, on n'avait guère l'occasion d'entendre les plaintes des gens dont les conditions de vie avaient été bouleversées.

Le barrage du Dnieprogues, sur le Dniepr. Terminé en 1932, détruit par les Allemands en 1941, il a été reconstruit au lendemain de la Seconde Guerre mondiale.

C'est pour une grande part le sort de ces populations déplacées par l'extension des lacs de retenue qui a incité des journalistes, des avocats, des artistes à émettre des critiques de principe contre la construction de barrages. Déjà, certains grands chantiers, comme celui d'Assouan (achevé en 1964), avaient fait l'objet d'une véritable campagne de dénigrement dans la presse occidentale, parce que les limons fertilisant la vallée du Nil se déposeraient désormais au fond du lac Nasser et aussi parce que cet énorme ouvrage était pour une grande part l'œuvre des Soviétiques. Mais, si le barrage n'avait pas été construit, que ferait l'Égypte avec une population qui est passée de 20 à 60 millions de personnes dans la vallée du Nil ? De nos jours, la campagne internationale contre la construction du barrage des Trois Gorges est particulièrement virulente.

Au fur et à mesure qu'une relative liberté d'expression se développe dans divers pays, on entend de plus en plus parler des problèmes posés par la submersion de vallées en amont des barrages. C'est en Inde, où existe pluripartisme et liberté de la presse, que s'est développée, il y a une douzaine d'années, la première grande campagne médiatique contre la construction de barrages dans la vallée de la Narmada, un fleuve qui traverse le nord des plateaux du Dekkan pour atteindre le Gujerat. Cette campagne internationale pour la Narmada a lancé la campagne mondiale contre la construction de barrages.

Un réquisitoire contre les barrages en Inde

Des dames de la bonne société, et intellectuelles de surcroît, eurent le talent d'émouvoir l'opinion indienne et internationale en évoquant la submersion d'antiques forêts et le malheur qui menaçait les populations dont les terres devaient être submergées. Les animatrices de cette campagne affirment que, compte tenu du nombre de barrages qui ont été construits en Inde depuis l'indépendance, c'est au total 30 millions de personnes qui depuis 50 ans auraient été chassées de leurs villages submergés. Mais que sont-elles effectivement devenues ? Le réquisitoire contre les barrages n'en dit rien, de même qu'il sous-estime, avec des arguments pour le moins fallacieux, l'utilité de ces grands travaux hydrauliques. Et pourtant ils ont véritablement contribué à faire face au triplement de la population de l'Inde dans les 50 dernières années.

Manifestation à Davana, dans le Gujerat, contre le barrage de la vallée de la Narmada.

Il ne s'agit pas d'un mouvement pour que soient bien indemnisés et convenablement réinstallés les gens dont les villages et les terres vont être submergés. C'est une campagne contre tout nouveau barrage (et même contre ceux qui existent déjà), comme si ce genre d'ouvrage ne pouvait être que cause de malheur, notamment pour les gens qui vivaient alentour. Il importe cependant de souligner que dans les pays démocratiques le versement de telles indemnités est devenu la règle, même lorsque les populations à dédommager sont des minorités ethniques. C'est ainsi qu'au Québec, dans les années 1970-1980, la réalisation par la compagnie Hydro-Québec du grand complexe hydroélectrique de la baie James (au sud de la baie d'Hudson) a entraîné, outre la mise en place d'importants services sociaux, le versement d'indemnités considérables (400 millions de dollars) à une dizaine de milliers d'Indiens Cris en dédommagement de l'ennoiement de leurs lieux de pêche. Ces Indiens ont ensuite obtenu d'Hydro-Québec le versement d'une sorte de rente régulière.

Un organisme plus ou moins privé, la World Commission on Dams (Commission mondiale sur les barrages), dans laquelle siègent des représentants de gouvernements, des intérêts privés et des organisations non gouvernementales ont incité la Banque mondiale à ne plus financer la construction de nouveaux barrages.

Le problème de l'eau aux États-Unis. Les deux côtes, qui bénéficient d'un fort arrosage, encadrent un ensemble beaucoup moins pourvu.

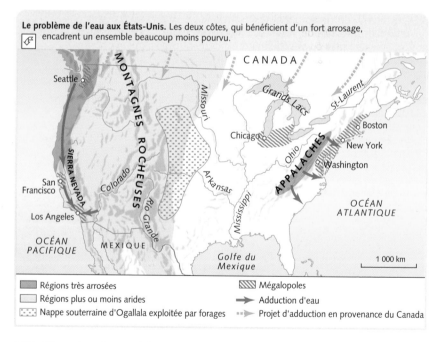

Régions très arrosées
Régions plus ou moins arides
Nappe souterraine d'Ogallala exploitée par forages
Mégalopoles
Adduction d'eau
Projet d'adduction en provenance du Canada

Les aciéries d'Anshan, dans le Liaoning, Chine du Nord-Est. Le développement industriel de la Chine s'accompagne d'une pollution particulièrement inquiétante.

Pourtant ceux-ci ne contribuent pas à «l'effet de serre» et l'hydroélectricité qu'ils produisent reviendrait même 20 à 25 % moins cher que l'électricité fournie par des centrales qui brûlent du gaz ou du fioul. En raison des conséquences possibles de «l'effet de serre», les grands travaux hydrauliques, qu'il s'agisse de lutter contre la sécheresse ou contre les inondations, sont en vérité la juste application de ce «principe de précaution» qu'invoque à juste titre le mouvement écologiste. Mais celui-ci se contente d'exiger la réduction massive des multiples activités (industries, transports, chauffage, etc.) qui dégagent du gaz carbonique dans l'atmosphère. Or il paraît quasiment impossible d'obtenir de grands pays en voie d'industrialisation, la Chine et l'Inde notamment, qu'ils réduisent la quantité de charbon et d'hydrocarbure qu'ils utilisent. Les États-Unis, qui sont pourtant extrêmement industrialisés, ont jusqu'à présent refusé de ratifier les accords de Kyoto, par lesquels les pays industriels s'engagent à diminuer leur rejet de gaz carbonique dans l'atmosphère. «L'effet de serre» ne va donc pas s'atténuer de sitôt et il faut s'attendre à ce que ses conséquences soient graves.

Les États-Unis et le protocole de Kyoto

«Le mode de vie américain n'est pas négociable!» avait prévenu Bill Clinton, alors qu'il était encore président des États-Unis. Cet axiome reflète une réalité : un citoyen américain «émet» chaque année 5,4 tonnes de dioxyde de carbone (CO_2), principal gaz à effet de serre. Tout en ne représentant que 5 % de la population mondiale, l'Amérique du Nord, rejette à elle seule le quart du total mondial de ces gaz et participe largement au réchauffement climatique que la communauté scientifique, désormais quasi unanime, attribue à l'utilisation massive des énergies fossiles (charbon, pétrole et gaz). Cela n'a pourtant pas empêché George W. Bush d'annoncer, à la mi-mars 2001, qu'il renonçait à limiter les émissions de CO_2 américaines et que Washington ne ratifierait pas le protocole de Kyoto, qui impose aux pays industrialisés de réduire leurs émissions de 5,2 % en moyenne par rapport à leur niveau de 1990 (d'ici à 2012).

Il faut donc prendre des précautions dans les pays qui vont subir l'accentuation de l'aridité ou l'aggravation des inondations, c'est-à-dire construire des barrages et des digues, non seulement à titre de précautions, mais aussi pour faire face aux besoins actuels ou à des dangers qui sont déjà très grands.

Une catastrophe annoncée

Au Viêt Nam et en Chine existent déjà des milliers de kilomètres de digues qui corsètent les méandres des fleuves et les bras fluviaux des deltas. Ces digues de terre, qui ont 10 à 15 m de haut et parfois davantage, sont l'héritage de siècles de grands travaux réalisés par des générations de paysans encadrés, guidés par des appareils d'État. Ces digues de terre sont en quelque sorte un patrimoine tout à la fois historique et naturel, sans lequel le peuplement des plaines n'aurait pu se développer. En revanche, au Bangladesh, dans le delta commun à ces fleuves énormes que sont le Gange, le Brahmapoutre et la Meghna, il n'y a guère de digues. Les causes de cette relative absence de digues ne sont pas claires : peut-être est-ce l'impossibilité de contenir, lors des crues, des fleuves aussi énormes ? Du moins, on aurait pu construire davantage de digues autour des lieux habités, et tout d'abord en bordure de la mer pour faire face aux énormes marées de tempête, lorsque les typhons s'engouffrent dans le golfe du Bengale.

Inondation au Bangladesh. En dépit de l'omniprésence de l'eau – 4 000 km de rives fluviales –, le pays reste confronté à l'irrigation, cruciale pendant la saison de sécheresse, d'octobre à avril, et à la retenue des eaux.

Sans doute a-t-il manqué un appareil d'État qui, sur des temps suffisamment longs, aurait fait construire un certain nombre de ces digues.

Quoi qu'il en soit, dans cette plaine du Bangladesh aujourd'hui surpeuplée, cette carence fait que les inondations sont périodiquement catastrophiques, surtout lorsque la crue énorme des fleuves gonflés par les pluies de mousson se combine avec un cyclone. À peu près tous les dix ans, une catastrophe de ce genre entraîne la mort de centaines de milliers de personnes : en novembre 1970, un cyclone ravage le delta entraînant la disparition d'environ 500 000 personnes. À chaque fois les médias dénoncent le scandale qui consiste à n'avoir rien fait pour éviter de telles tragédies. En 1988, après un nouveau désastre, le président François Mitterrand, devant l'Assemblée générale des Nations unies, avait souhaité le lancement d'un plan d'aide international pour « la stabilisation des fleuves qui inondent le Bangladesh ». Une initiative qui fut approuvé au « sommet de l'Arche » par les sept chefs d'État des pays les plus industrialisés. Il s'agissait d'édifier en dix ans quelque 3 000 km de digues en terre. Le montant des travaux était évalué à 10 milliards de dollars. Plutôt de que chercher à corseter des fleuves aussi puissants, il fut décidé d'entourer de digues protectrices les parties les plus peuplées du delta et de construire contre les typhons des digues côtières.

Or un certain nombre d'ONG anglo-américaines ont immédiatement mené campagne au Bangladesh et sur le plan international contre ces projets qui étaient prétendument des atteintes à l'environnement. Le gouvernement du Bangladesh a estimé qu'il était préférable de lui remettre directement les sommes, qui avaient été envisagées pour la construction des digues, et l'utilise à d'autres usages. Les experts américains ont ensuite proposé la construction d'un grand nombre de plates-formes bétonnées où pourrait se réfugier la population qui serait avertie de l'arrivée d'un cyclone.

Ce grand projet est désormais abandonné et l'on peut craindre la prochaine catastrophe au Bangladesh. À plus long terme, les risques qui pèsent sur une population de plus en plus nombreuse (200 millions dans 20 ans) sont accrus du fait de l'élévation du niveau des océans (à cause de la fonte des glaciers) et de l'enfoncement du delta sous le poids de l'énorme masse d'alluvions qu'apportent les fleuves.

Composition de l'eau à l'état naturel

L'eau destinée à la consommation peut provenir de captage de sources, de puits (eau souterraine) ou de prise d'eau en rivière (eau superficielle). À l'état naturel, elle comprend des gaz dissous provenant de l'atmosphère ou de la décomposition des roches traversées, des matières dissoutes (carbonates, chlorures, nitrates, phosphates) à raison de quelques milligrammes à plusieurs centaines de milligrammes par litre suivant les terrains, des matières organiques provenant de la décomposition des végétaux, des particules d'argile en suspension colloïdale, des bactéries, des micro-organismes dont la répartition varie selon le régime des eaux. Il est de plus en plus rare que la qualité des eaux tant souterraines que de surface soit satisfaisante.

La « révolution hydraulique » doit être réalisée sur le plan mondial

Pour répondre à l'accroissement massif des besoins en eau du fait de la croissance des grandes villes et de l'aspiration au progrès et à la justice de millions de personnes des quartiers populaires, et pour faire face dans des pays très peuplés aux dangers d'inondations catastrophiques, il faut étendre rapidement à tous les pays la « révolution hydraulique », qui a été commencée avec les progrès de la démocratie dans l'Europe du XIXᵉ siècle. Les grands travaux hydrauliques qui sont nécessaires doivent être menés avec le souci de l'efficacité, mais aussi de la justice.

En effet, l'alimentation en eau d'une grande agglomération ne devrait pas se réaliser en détournant, sans contrepartie, de petits cours d'eau desservant jusqu'alors de petites villes et des villages. L'eau est un bien rare et les habitants des régions montagneuses d'où descendent des fleuves devraient recevoir une partie de la valeur que cette eau apporte dans les plaines. L'exemple du Moyen-Orient montre que de grands travaux hydrauliques peuvent contribuer à transformer la pénurie et les risques de conflits qu'elle engendre en une entente de différents États pour un véritable marché international de l'eau. Sans doute les mouvements écologistes se rendront-ils compte prochainement que leur campagne contre les barrages peut plus utilement se transformer en une action pour une utilisation équitable et rationnelle de l'eau mise en réserve et pour la reconnaissance des droits de ceux dont les terres ont été sacrifiées dans l'intérêt général. Sans doute parviendra-t-on peu à peu au cours du siècle qui commence à réduire progressivement « l'effet de serre », mais d'ici là il faut se préparer à faire face à des conséquences climatiques plus graves. Il faut aussi répondre aux revendications des hommes et des femmes qui rêvent d'avoir eux aussi de l'eau chez eux au robinet. Les batailles pour l'eau, mais aussi les combats contre l'eau des inondations, forment un ensemble de luttes pacifiques dans lesquelles la solidarité internationale, le savoir-faire des grandes entreprises, le rôle des municipalités et les initiatives populaires sont nécessaires.

La Commission mondiale sur les barrages

La CMB a été créée en 1998 à l'instigation des intérêts pro et anti-barrages qui souhaitaient rompre l'impasse concernant la gestion et la construction de barrages comme aspect fondamental de la gestion des ressources d'eau. Les deux parties se sont réunies à Gland, en Suisse, en 1997, sous l'égide de la Banque mondiale et de l'UICN-Union mondiale pour la nature (organisation qui regroupe plus de 800 ONG et organismes publics actifs dans le domaine de l'environnement). Les deux parties ont accepté d'aider à mettre sur pied une commission indépendante et objective sur les barrages qui conduirait une étude mondiale sur l'efficacité des grands barrages pour le développement, évaluerait des solutions de substitution et établirait des critères et lignes directrices pour l'étude et la mise en œuvre de futurs projets de construction de barrages et de solutions de substitution. Il convient de noter que la CMB n'a le pouvoir ni d'intervenir ni de trancher dans les controverses actuelles à propos des barrages.

Annexes

Adduction. Mot relativement récent (1890) désignant l'action de dériver l'eau d'un cours d'eau ou d'une source pour l'amener par un canal ou une canalisation vers un autre endroit, un terrain irrigué mais surtout vers une ville. Les progrès des techniques de génie civil permettent de nos jours d'installer d'énormes conduites (jusqu'à 5 m de diamètre) sur des centaines de kilomètres.

Affluent (du latin *ad-fluere*, « qui coule vers »). Ruisseau ou rivière qui rejoint (qui « se jette ») dans un cours d'eau plus long et considéré comme plus important. On peut aussi prendre en considération l'inégale superficie de leurs bassins versants.

Alluvions. Matériaux détritiques (dus à l'érosion) tels que sables, galets, boues, limons, qui ont été transportés par les cours d'eau principalement et déposés dans les lacs et surtout dans les mers : on parle d'alluvions lacustres ou d'alluvions marines.

Amphibie. Se dit d'un milieu biogéographique où la terre et la mer s'interpénètrent, selon les marées, sur des étendues plates situées au niveau de la mer ; se dit aussi de certains milieux deltaïques où l'eau douce et l'eau de mer s'étendent selon les crues et les marées, sur des étendues plus ou moins émergées.

Aquifère. Couche de terrains perméables contenant en profondeur une grande quantité d'eau, ce qui forme une nappe d'eau souterraine. Ce réservoir est d'autant plus important qu'il repose sur une couche imperméable et qu'il est bien alimenté en eau de pluie tombée à la surface du sol.

Aréisme (de a- privatif et du grec *rhein*, « couler »). Absence permanente d'écoulement de surface en raison de la sécheresse. Cette caractéristique concerne 20 % de la surface des continents, dont la majeure partie des régions arides.

Aridité (de a- privatif du grec *rhein*, « sans écoulement », comme aréïque). La sécheresse des régions arides résulte autant de la faiblesse des précipitations atmosphériques que de l'importance des phénomènes d'évaporation, en raison de fortes températures presque toute l'année.

Assainissement. Ensemble d'opérations visant au traitement des eaux usées dans des stations d'épuration situées aux débouchés des réseaux d'égouts des villes. L'augmentation considérable de la consommation d'eau dans les villes des pays développés a entraîné l'essor des entreprises d'assainissement.

Barrage voir hydraulique

Bassin, bassin fluvial. Le terme de bassin a d'abord désigné un récipient généralement rond et à fond plat pour contenir des liquides, donc un objet de cuisine, une vaste marmite. Au XVIIᵉ siècle, on a utilisé ce mot pour désigner des constructions en pierre de quelques dizaines ou centaines de mètres de diamètre, destinées à retenir de l'eau sur une assez vaste étendue: bassins du parc de Versailles, bassins des ports pour y garder les navires à flot ou pour les construire au sec avant d'ouvrir des écluses. Au XVIIIᵉ siècle, les géographes, par métaphore, commencent à appeler bassins des étendues de dimensions bien plus considérables. Comme le dit en

1753 Philippe Buache, géographe du Roi, un bassin, c'est «l'ensemble de toutes les pentes des eaux qui se réunissent dans un fleuve ou une rivière». Apparaissent ici clairement les notions de bassin fluvial ou de bassin hydrographique, c'est-à-dire l'ensemble spatial drainé par un fleuve et ses affluents. La limite entre deux bassins fluviaux voisins est la ligne de partage des eaux, mais celle-ci ne correspond pas nécessairement sur toute sa longueur à une ligne de collines ou à une chaîne de montagnes.

Bief (d'un mot gaulois signifiant «fossé»). Portion du lit d'un cours d'eau entre deux rapides, deux chutes ou deux écluses.

Canalisation (de *canna*, «canne», «roseau», «tuyau»). Conduite ou tuyau pour le transport des fluides. La puissance des entreprises de génie civil permet d'entreprendre et de mener à bien des ouvrages hydrauliques de très grande envergure: la pose des canalisations de trois à cinq mètres de diamètre permet des transferts d'eau à plusieurs centaines de kilomètres de distance et bientôt, sans doute, sur plusieurs milliers de kilomètres, par exemple, entre les lacs canadiens et le sud des États-Unis.

Charge. C'est l'ensemble des alluvions que transporte un cours d'eau, compte tenu de son débit et de sa compétence, soit jusqu'à son estuaire ou jusqu'à sa confluence, soit dans une certaine portion de son cours.

Climat (du grec *klima*, «inclinaison des différentes parties de la Terre par rapport au Soleil»). Cette notion d'inclinaison correspondait au fait que, selon les zones terrestres, le Soleil semble le plus souvent être plus ou moins haut dans le ciel. La notion de climat a longtemps correspondu à «l'état moyen» de l'atmosphère au-dessus d'une région ou d'un pays, cet état moyen étant défini par la moyenne des températures, celle des pluies et la fréquence des vents les plus réguliers ; les moyennes sont calculées sur un plus ou moins grand nombre d'années et d'après les observations d'un plus ou moins grand nombre de stations. À partir du XXe siècle, les géographes ont commencé à considérer les climats de façon diachronique, c'est-à-dire en prêtant attention à la succession dans un même pays de différents types de temps, donc aux différences de température et de pluviosité selon les saisons. Les ressources en eau dépendent de façon fondamentale des différents types de climat.

Compétence (d'un cours d'eau). Taille maximale des cailloutis et des galets qu'un cours d'eau peut transporter compte tenu de son débit et de sa pente.

Confluent. Lieu où deux cours d'eau (ou deux glaciers) se rencontrent. Le débit et la charge du cours d'eau principal peuvent se trouver sensiblement modifiés par les apports de l'affluent, et, en aval de la confluence, l'allure de la vallée peut être sensiblement modifiée par rapport à l'amont: le fleuve peut commencer à décrire des méandres, ce qu'il ne faisait pas à l'amont.

Crue (de *croître*). Montée des eaux d'un cours d'eau. Il s'agit d'un phénomène saisonnier correspondant le plus souvent à la saison des pluies sur la majeure partie du bassin hydrographique du fleuve. Dans la zone tempérée, et surtout pour les cours d'eau qui descendent de montagnes, les crues correspondent aussi à l'époque de fonte des neiges. La période des basses eaux est l'étiage. Les crues n'ont pas la même importance selon les années et l'on parle de crues décennales et de crues centenaires pour celles qui sont particulièrement fortes tous les dix ans ou une ou deux fois par siècle.

Cycle de l'eau. Durant des millénaires et jusqu'à une époque relativement récente, on ne savait pas d'où pouvait venir l'eau des cours d'eau, notamment celle des énormes crues des grands fleuves. Les savants faisaient des hypothèses qui de nos jours semblent tout à fait absurdes. Par exemple, un philosophe comme Aristote (384-322 av. J.-C.), très compétent dans d'autres domaines, pensait que l'eau des fleuves venait de la mer en empruntant des canaux souterrains. Peu lui importait que l'eau de la mer fût salée et non celle des fleuves. Mais le grand argument était que la mer aurait dû déborder puisque depuis toujours les fleuves s'y jetaient. Jusqu'au XVIIe siècle, les savants européens se sont demandés pourquoi les océans ne débordaient pas. Au XVIIe siècle, on s'est rendu compte que l'évaporation à la surface des océans explique qu'ils ne débordent pas et surtout qu'elle est le début du grand cycle de l'eau : évaporation, vapeur d'eau, nuages, condensation, pluie, ruissellement, rivières, fleuves, océans, évaporation…

Débit. Ce terme a longtemps désigné la vente au détail de marchandises (débit de boisson), et c'est seulement au milieu du XIXe siècle qu'il a aussi commencé à désigner l'écoulement d'un liquide débité, puis le volume d'eau écoulé dans un cours d'eau en un point de son cours et par unité de temps (débit annuel, débit par seconde). Le débit d'un fleuve varie selon les saisons avec les périodes de crue et d'étiage, en fonction de son régime, celui-ci dépendant de la quantité de précipitations tombées sur son bassin hydrographique et de l'évaporation. On appelle « module » le débit moyen d'un fleuve.

Delta (nom de la quatrième lettre majuscule de l'alphabet grec de forme triangulaire ; c'est Hérodote, il y a vingt-cinq siècles, qui a été le premier à comparer l'embouchure du Nil à un triangle). Plaine littorale formée par les alluvions du fleuve à sa rencontre avec la mer. Une pente presque nulle et la surcharge alluviale provoquent la division du fleuve en plusieurs bras, ceux-ci coulant sur des levées quelques mètres au-dessus du niveau de la plaine. Celles-ci, dans certains cas (comme celui du Mississippi), s'avancent séparément en mer (deltas digités). Si les courants marins ne dispersent pas trop les alluvions, un delta progresse sensiblement chaque année.

Digue (du néerlandais *dike* ou *dijk*). Longue construction, principalement en terre compactée, destinée à contenir les eaux. Il y a deux types de digues : d'une part, la digue côtière construite au bord de la mer pour protéger le bas pays des hautes marées ou un polder qui a été conquis sur la mer ; d'autre part, les digues fluviales doubles, construites sur les deux rives d'un fleuve en suivant ses méandres pour éviter qu'il sorte de son lit lors des crues et inonde la vallée.

Eau. L'eau douce est devenue une ressource rare, y compris dans les pays dont le climat n'est pas marqué par l'aridité. En effet, l'augmentation de la population des villes et l'augmentation des niveaux de vie font qu'il faut canaliser vers les centres urbains des quantités d'eau de plus en plus considérables, veiller à leur salubrité, mais aussi – du moins dans les pays développés – traiter les rejets des égouts pour qu'ils ne polluent pas les cours d'eau où ils se déversent. L'eau potable et les égouts deviennent une des grandes revendications populaires dans les villes du tiers-monde.

Écluse (du latin *excluere,* «exclue, séparée du courant»). Ouvrage hydraulique formé essentiellement de portes munies de vannes, destinées à retenir ou à lâcher l'eau selon les besoins sur un cours d'eau, un canal ou un bassin de marée.

Effet de serre. Expression imagée lancée il y a une dizaine d'années par les écologistes pour faire comprendre pourquoi l'atmosphère terrestre allait se réchauffer sensiblement à cause de l'augmentation de sa teneur en gaz carbonique, celui-ci étant produit en quantités de plus en plus considérables du fait du développement des industries qui utilisent des quantités croissantes de charbon, de pétrole et de gaz. À cela s'ajoute le développement dans le monde entier des moyens de transport. Ces quantités de plus en plus importantes de gaz carbonique jouent le rôle d'isolant (comme dans une serre).

Endoréisme. Caractéristique de réseaux hydrographiques qui ne s'écoulent pas vers la mer, mais vers une dépression intérieure, celle du lac Tchad par exemple. C'est le cas sur 6 % des surfaces continentales.

Estuaire (du latin *oestus,* «mouvement des flots»). Le mot, rarement utilisé avant le milieu du XIXe siècle, désigne la partie aval d'une vallée fluviale où la marée se fait sentir; depuis la fonte des grands glaciers quaternaires, la remontée du niveau de la mer dans des vallées profondes a multiplié les grands estuaires, où se sont par la suite développées d'importantes villes portuaires.

Étiage (ou basses eaux). Période durant laquelle le débit d'un cours d'eau est très bas.

Fleuve. C'est au XVIIIe siècle qu'il a été convenu d'appeler «fleuve» un cours d'eau qui se jette dans la mer, le terme de «rivière» étant réservé à ses affluents.

Hydraulique (du grec *hydro,* «eau» et *aulos,* «flûte, tuyau»). Science et technique des liquides en mouvement, notamment dans des tuyaux. La construction des digues le long des fleuves et des barrages pour barrer des vallées, le creusement des canaux, l'installation d'adductions d'eau, d'égouts, de canalisations pour alimenter des centrales électriques relèvent de l'hydraulique. Celle-ci a des conséquences géographiques de plus en plus importantes. Dans les trente dernières années, près de 30 000 barrages (de plus de 15 mètres), dont la moitié pour l'irrigation, ont été construits dans le monde. On peut désormais stocker derrière un barrage le débit entier d'un fleuve durant quelques années (comme celui de l'Euphrate derrière le barrage Atatürk) ou acheminer des quantités d'eau considérables sur plusieurs milliers de kilomètres (comme entre les lacs canadiens et le sud des États-Unis).

Lexique | Dictionnaire de l'eau

Hydroélectricité. Production d'électricité en captant et en utilisant l'énergie d'un courant d'eau dans des centrales hydroélectriques. Celles-ci sont dites «de haute chute» (plus de 200 mètres de dénivellation) ou de «basse» chute (moins de 20 mètres de dénivellation). L'hydroélectricité, qui exige de gros investissements pour la construction des barrages, a été quelque peu négligée du fait de la multiplication des centrales thermiques brûlant du charbon et, surtout aujourd'hui, du pétrole ou du gaz. Mais le prix de revient du kWh que fournissent les grandes hydrocentrales construites sur les fleuves tropicaux semble être 25 % moins cher que le kWh produit par la combustion d'hydrocarbure.

Hydrogéologie. Partie de la géologie consacrée à l'étude des nappes d'eau souterraines.

Hydrographie. Secteur de la géographie physique consacré à l'étude des cours d'eau (de leur tracé comme de leur régime) et aussi des eaux marines (et du fond des océans), bien que l'étude de celles-ci concerne de nos jours l'océanographie.

Hydrologie. Étude des eaux, qu'il s'agisse d'hydrologie fluviale (ou potamologie) ou d'hydrologie marine, plutôt dénommée aujourd'hui «océanographie».

Hydronyme. Nom donné autrefois à un cours d'eau ou à un lac par les populations vivant sur le territoire qu'il traverse (un même fleuve peut selon les secteurs avoir plusieurs noms) et que les géographes ont uniformisé. Les noms donnés en 1790 aux départements français sont pour la plupart des hydronymes.

Inféroflux. Écoulement qui se produit sous le lit d'un cours d'eau, même quand il est à sec, à travers des couches plus ou moins épaisses d'alluvions.

Infiltration. Passage plus ou moins lent de l'eau à travers le sol et les fissures de la roche sous-jacente et celles de couches plus profondes. L'infiltration qui alimente la nappe phréatique et les nappes plus profondes est particulièrement importante sur les roches perméables, sables, grès et calcaires.

Interfluve. Portion d'espace (de relief plus ou moins marqué) située entre deux vallées voisines.

Irrigation. Ensemble des dispositifs hydrauliques (canaux, écluses, pompes) permettant de conduire de l'eau d'une source, d'un barrage ou d'un cours d'eau vers des terres cultivées, et de la répartir pour compenser la faiblesse des pluies ou l'importance de l'évaporation. C'est évidemment dans les régions arides que se trouvent les principaux systèmes d'irrigation, en Asie centrale au Moyen-Orient, au Pakistan.

Lac (du latin *lacus*). Étendue d'eau (douce dans la plupart des cas) située à l'intérieur des terres. Les lacs sont alimentés par des cours d'eau et, pour la majorité d'entre eux, l'excès d'eau est évacué par un effluent.

Levée naturelle. C'est une des formes de relief les plus méconnues par les géographes bien qu'elle soit des plus importantes pour ce qui est de la géographie humaine. Les cours d'eau venus des montagnes, et dont la charge alluviale est de ce fait considérable, ne parviennent pas à la transporter complètement une fois qu'ils coulent en plaine. Aussi, après chaque crue, une partie des alluvions s'accumule au fond du lit fluvial, ce qui provoque son exhaussement progressif. De ce fait, le fleuve en vient à couler plusieurs mètres (20 mètres dans certains cas) au-dessus du niveau de la plaine sur un bourrelet alluvial, une levée naturelle jusqu'à ce que, lors d'une autre crue, s'il n'est pas contenu, il déborde ses berges, notamment dans un méandre concave, et se déverse en contrebas. Son nouveau lit s'exhaussera progressivement pour former une nouvelle levée naturelle large de un ou deux kilomètres et de plusieurs mètres au-dessus du niveau de la plaine.

Lit. Le lit majeur, celui où s'étalent les crues, a une largeur variable selon les formes de relief traversées : très large dans une plaine, il est étroit dans les gorges ; le fond du lit mineur, où les eaux coulent en permanence, est une succession de creux dénommés «mouilles» et «seuils», qui émergent lors des étiages. Les mouilles se trouvent près de la rive concave des méandres.

Méandre (du nom d'un fleuve d'Asie Mineure qui fait de nombreux méandres). Sinuosités régulières que décrit un cours d'eau; les rives d'un cours d'eau sont fort différentes selon qu'il s'agit de la rive concave, qui est relativement abrupte, car elle est sapée par le courant, ou de la rive convexe en pente douce, où s'accumulent les alluvions.

Pluie (du latin *plovere*, «pleuvoir»). C'est évidemment l'eau qui tombe des nuages. La pluviométrie est l'étude de la pluie et des autres précipitations atmosphériques. Une géographie de la pluie ne se réduit pas à comparer selon les pays le total annuel ou mensuel des précipitations – avec le cas des régions arides où les pluies sont très rares, tout en pouvant être très brutales. Les grosses pluies du monde tropical, et surtout celles de la mousson, peuvent atteindre un total supérieur à 16 000 mm sur les contreforts de l'Himalaya.

Puits (du latin *puteus*). Cavité circulaire plus ou moins profonde, creusée dans des roches sédimentaires ou des arènes granitiques pour atteindre la nappe phréatique. Dans leurs réflexions sur les formes de groupement ou de dispersion de l'habitat rural, les géographes du XIXᵉ siècle ont longtemps considéré que sur les plateaux calcaires les villages s'étaient d'abord constitués autour d'un puits – mais leur date de creusement, relativement tardive, a infirmé cette relation de cause à effet. Les citernes ont longtemps précédé les puits.

Régime d'un cours d'eau. C'est l'évolution habituelle de son débit selon les mois de l'année tel qu'il a pu être établi après une assez longue période d'observations et de mesures. Ce régime est commandé par le régime climatique des différentes parties de son bassin.

Réseau hydrographique. C'est l'ensemble des cours d'eau de plus ou moins grande importance, ruisseaux, sous-affluents, affluents qui se réunissent progressivement dans un fleuve se jetant dans la mer. Il draine un bassin hydrographique qui est séparé des bassins voisins par une ligne de partage des eaux.

L'eau dans le monde

Les disponibilités annuelles moyennes en eau interne sont de l'ordre de 1 212 km³, équivalentes à 3 326 m³ par personne et par an. Les apports externes sont également importants au Portugal, au Luxembourg et en Allemagne, où ils représentent plus de 40 % de l'eau disponible.

Répartition selon les secteurs d'activité

La répartition de la consommation d'eau entre les différents secteurs de l'économie varie considérablement d'une région à l'autre, en fonction des conditions naturelles et de la structure économique et démographique : en France (64 %), en Allemagne (64 %) et aux Pays-Bas (55 %) par exemple, la plus grande partie de l'eau prélevée sert à la production d'électricité. En Grèce (88 %), en Espagne (72 %) et au Portugal (59 %), l'eau sert majoritairement à l'irrigation. Dans les pays d'Europe du Nord, comme la Finlande et la Suède, peu d'eau est utilisée en agriculture. Par contre, la production de cellulose et de papier, activité forte consommatrice d'eau, est importante et l'eau est prélevée principalement par l'industrie (respectivement 66 % et 28 % des prélèvements totaux).

Le prix de l'eau en Europe	
Allemagne	1,78
Danemark	1,47
Belgique	1,39
Pays-Bas	1,13
France	1,11
Royaume-Uni	1,06
Italie	0,68
Irlande	0,57
Espagne	0,51
Suède	0,32
(en euros/m³)	

Les superficies irriguées

Les données statistiques publiées par la FAO montrent une nette tendance à l'augmentation des superficies irrigables dans les pays de l'Union européenne, même si cette tendance s'est sensiblement ralentie au cours des dernières années. En ce qui concerne l'Europe des Quinze, l'augmentation des surfaces irrigables a été de + 152 000 ha/an entre 1961 et 1980, de + 146 000 ha/an entre 1980 et 1996 et de + 123 000 ha/an dans les années 1990. Ainsi, les surfaces irrigables de l'UE sont passées de 6,5 millions d'hectares en 1961 à 11,6 millions d'hectares en 1996, soit un doublement des surfaces irrigables.

Les augmentations de surface irrigable ont été les plus fortes en France, et égales à + 25 000 ha/an entre 1961 et 1980, à + 48 000 ha/an entre 1980 et 1996 et atteignent même un maximum de + 59 000 ha/an au cours des années 1990.

En Grèce, l'augmentation des superficies a été régulière depuis 1961 à un rythme annuel de + 28 000 ha/an.

En Italie, une augmentation des surfaces irrigables statistiquement significative n'a pu être mise en évidence que pour la période 1980-1996 (+ 25 000 ha/an).

Au Portugal, l'augmentation annuelle des surfaces irrigables a été limitée et reste inférieure à 1 000 ha/an.

En Espagne, l'augmentation des surfaces irrigables a été importante jusqu'en 1980 (près de + 60 000 ha/an), mais s'est nettement réduite depuis. Les superficies irrigables n'ont augmenté que de + 34 000 ha/an sur la période 1980-1996 et aucune tendance statistiquement significative n'a pu être mise en évidence pour les années 1990. Globalement, les surfaces irrigables en Espagne ont augmenté de 80 % pour la période 1961-2000.

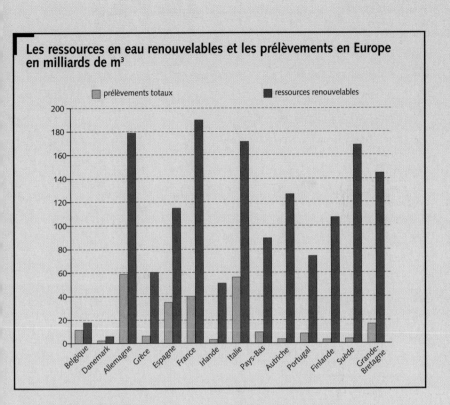

Les ressources en eau renouvelables et les prélèvements en Europe en milliards de m³

■ prélèvements totaux   ■ ressources renouvelables

Une répartition inégale

La répartition de l'eau sur le globe est inégale, à l'instar de la répartition de la population. En conséquence, et bien qu'il y ait, globalement, suffisament d'eau pour toute la population de la Terre, on observe que certaines parties du monde, notamment en Afrique, souffrent d'un manque d'eau. Un manque d'autant plus cruel que l'eau douce ne représente qu'une infime partie de l'eau disponible.

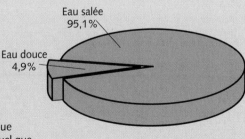

Eau salée 95,1%

Eau douce 4,9%

L'eau dans le monde

L'eau douce représente moins de 5 % du volume d'eau terrestre, soit 70 137 000 km³. Cette eau douce n'est pas facilement accessible et se présente majoritairement sous forme d'eau souterraine ou de calottes glaciaires et de glaciers.

Répartition globale de l'eau douce

Type eau douce	Volume d'eau en milliers de km³	% du volume total d'eau douce
Eau souterraine	48 000	68,44 %
Calottes glaciaires et glaciers	22 000	31,37 %
Humidité du sol	49,7	0,07 %
Eau (plantes et animaux)	7,1	0,01 %
Lacs et cours d'eau	79,2	0,11 %
Atmosphère	1,47	Moins de 0,01 %

Les ressources en eau renouvelables internes

Elles comprennent le flux moyen annuel des rivières et des eaux souterraines généré à partir des précipitations endogènes. À moins d'avis contraire, on ne tient pas compte des débits générés hors du pays mais entrant dans le pays.

Les ressources en eau renouvelables globales

Elles désignent les ressources en eau renouvelables internes, plus les flux engendrés par les rivières hors du pays mais entrant dans le pays, moins les flux engendrés par les rivières sortant du pays.

La pression démographique et la disponibilité en eau

L'augmentation de la population fera diminuer la quantité d'eau disponible par personne dans certains pays francophones. En 2000, 5 pays possédaient une ressource en eau plus petite que 500 m3/personne/an, soit l'Égypte, la Mauritanie, le Niger, la Tunisie et Djibouti. En 2025, 9 pays seront dans la même situation : l'Égypte, la Mauritanie, le Niger, la Tunisie, Djibouti, le Burundi, le Cap-Vert, la Moldavie et le Rwanda.

Les ressources en eau renouvelables

Pays	Ressources en eau renouvelables internes (m³/personne/an)	Ressources en eau renouvelables globales (m³/personne/an)
Égypte	43	888
Mauritanie	163	4647
Niger	346	3 212
Tunisie	369	434
Djibouti*	472	472
Moldavie	517	384
Burundi*	546	546
Cap-Vert*	748	748
Belgique	822	1224
Rwanda*	965	965
Maroc	1071	1060
Pologne	1278	1454
Liban	1315	1221
Haïti*	1460	1460
Burkina*	1535	1535
Roumanie	1639	9215
Bénin	1751	4387
Maurice	1906	1915
Comores*	1931	1931
Bulgarie	2146	24 443
Tchad	2176	6239
Togo	2594	2706
Sénégal	2933	4377
France	3065	3022
Lituanie	3724	6530
Viêt Nam*	4827	4827
Mali	5071	8452
Côte d'Ivoire	5265	5334
Rép. tchèque*	5693	5693
Suisse	5802	6826
Cambodge	8195	463 315
Albanie	12 917	16 197
Guinée-Bissau	14 109	23 810

Les ressources en eau renouvelables (suite)

Sao Tomé*	15 942	15 942
Cameroun*	18 711	18 711
Congo Zaïre	19 001	20 708
Madagascar*	23 820	23 820
Guinée*	29 454	29 454
Centrafrique*	40 413	40 413
Laos*	50 392	50 392
Guinée équ.*	69 767	69 767
Congo	78 668	294 826
Canada	94 373	96 079
Gabon*	140 171	140 171

* Peut inclure la somme des débits des rivières générés en dehors du pays mais entrant dans le pays

Accès à l'eau potable

Pourcentage de la population totale (rurale + urbaine) ayant un accès raisonnable à une quantité adéquate d'eau potable saine. Cette définition inclut l'eau de surface traitée et non traitée mais non contaminée, tels les sources, les puits, etc.

Populations ayant accès à l'eau potable

Région (% du total)	Population avec accès (% du total)	Population sans accès (% du total)
Afrique du Nord et Moyen-Orient	82 683 000 (78 %)	23 694 500 (22 %)
Afrique	83 858 281 (45 %)	103 161 359 (55 %)
Europe	144 481 640 (87 %)	21 971 360 (13 %)
Amérique du Nord	29 892 060 (99 %)	301 940 (1 %)
Amérique latine	3 165 324 (41 %)	4 601 646 (59 %)
Asie et Océanie	40 895 320 (43 %)	53 286 680 (57 %)
TOTAL	384 975 625 (65 %)	207 017 985 (35%)

Accès à des installations sanitaires adéquates

Pourcentage de la population totale (rurale + urbaine) ayant un accès raisonnable à des installations sanitaires adéquates qui préviennent la contamination biologique par les excréments. Ces installations peuvent aller de simples latrines à des toilettes reliées à des égouts.

Populations ayant accès à des installations sanitaires

Région (% du total)	Population avec accès (% du total)	Population sans accès (% du total)
Afrique du Nord et Moyen-Orient	75 716 440 (71 %)	30 661 560 (29 %)
Afrique	59 813 517 (32 %)	127 206 123 (98 %)
Europe	137 443 810 (88 %)	18 786 190 (12 %)
Amérique du Nord	28 634 300 (95 %)	1 509 700 (5 %)
Amérique latine	2 155 849 (28 %)	5 611 122 (72 %)
Asie et Océanie	50 118 370 (53 %)	44 063 630 (47 %)
TOTAL	353 932 286 (61 %)	227 838 324 (39 %)

Prélèvement d'eau par secteur

Le prélèvement total

Il désigne la quantité d'eau totale prélevée annuellement pour les besoins domestiques, industriels et agricoles. Cette valeur ne tient pas compte des pertes dues à l'évaporation sur les bassins ou réservoirs.

Le prélèvement domestique

Il comprend les prélèvements d'eau de consommation personnelle, ceux des établissements commerciaux, services publics et autres usages municipaux. Il peut inclure des données de prélèvements d'usines raccordées au système d'égout.

Le prélèvement industriel

Il comprend les prélèvements d'eau des usines non raccordées au système d'égout municipal et peut comprendre, dans certains pays, l'eau de refroidissement utilisée par des usines.

Le prélèvement agricole

Il comprend les prélèvements pour l'irrigation et l'élevage du bétail.

Prélèvement d'eau par secteur (% du total annuel)

Pays	Domestique	Industriel	Agricole
Guinée équatoriale	81	13	6
Lituanie	81	16	3
Gabon	72	22	6
Congo-Brazzaville	62	27	11
Congo-Zaïre	61	16	23
Guinée-Bissau	60	4	36
Cameroun	46	9	35
République tchèque	41	57	2
Burundi	36	0	64
Liban	28	4	68
Haïti	24	8	68
Bénin	23	10	67
Suisse	23	73	4
Côte d'Ivoire	22	11	67
Centrafrique	21	5	74
Burkina	19	0	81
Canada	18	70	12
Tchad	16	2	82
Niger	16	2	82
France	16	69	15
Pologne	13	76	11
Viêt Nam	13	9	78
Guinée	10	3	87
Tunisie	9	3	89
Laos	8	10	82
Roumanie	8	33	59
Albanie	6	18	76
Mauritanie	6	2	92
Égypte	6	8	86
Cambodge	5	1	94
Rwanda	5	2	93
Sénégal	5	3	92
Maroc	5	3	92
Mali	2	1	97
Madagascar	1	0	99

Bibliographie

ALLOUCHE (J.), *Water Privatisation. Transnational Corporations and the Re-regulation of the Global Water Industry*, London & New York, Francis & Taylor, 2001

BENKENOUN (H.), *l'Eau douce dans tous ses états*, Nathan, 1999

BETHEMONT (J.), *les Grands Fleuves*, Armand Colin, 1999

CANS (R.), *la Ruée vers l'eau*, Gallimard, 2001

Les Collectivités locales et l'eau, CERTU, 1998

«Demain le dessalement», n° 101, mars 2000, *Hydroplus, magazine international de l'eau*

DIVET (L.) et SCHULHOF (P.), *le Traitement des eaux*, PUF, «Que sais-je?», 1980

GENEVOIS (S.), *Paris la Seine*, Prolibris, 1999

«Géopolitique de l'eau», *Hérodote* n° 102, 2001

GROSCLAUDE (G.), *l'Eau : milieu naturel et maîtrise; usages et polluants*, 2 vol., INRA, 1999

Guide de l'eau, Johanet, 1990-2000

«La Houille blanche», *Revue internationale de l'eau* n° spécial 1, 2003, Année internationale de l'eau

KOHLER (P.), *Voyage d'une goutte d'eau*, Fleurus, 1997

LASSERRE (F.) et DESCROIX (L.), *Eaux et territoires, tensions, coopérations et géopolitique de l'eau*, Presses universitaires du Québec, 2002

LECOMTE (J.), *l'Eau*, PUF, 1998

Lexique de l'eau en cinq langues, Johanet, 1999

MARCHAND (P.), «Géopolitique de l'eau sur le territoire de l'ex-URSS», *Revue géographique de l'Est*, n° 1, 1993

MASSILY (G. DE), *l'Eau*, Flammarion, «coll. Dominos», 2000

«Menaces sur l'eau : comment éviter une crise mondiale», *Science et Vie*, hors série, n° 211, juin 2000

MONTOUT (G.) et Larguier (M.), *Protection des distributions d'eau*, Eyrolles, 1981

SIRONNEAU (M.), *l'Eau, nouvel enjeu stratégique mondial*, Economica, coll. «Poche» Géopolitique, 1996

SMITH (D. R.), «Environmental Security and Shared Water Resources in Post-Soviet Central Asia», *Post-Soviet Geography*, vol. 36, n° 6, 1995

VILLIERS (M. DE), *l'Eau*, Actes Sud, 2000

Crédits photographiques

N° Projet : 100 97026
Impression I.M.E. - 25110 Baume-les-Dames
Dépôt légal : Septembre 2003
Imprimé en France - 575124-01 - Septembre 2003 -